Tendances

méthode de français

A1

Jacky Girardet - Jacques Pécheur
Colette Gibbe - Marie-Louise Parizet

CLE
INTERNATIONAL

Crédits photographiques (de gauche à droite et de haut en bas) :

Couverture : Shutterstock – **p. 11 :** ZIR/SIGNATURES – **p. 12 :** Rawpixel.com/Fotolia ; BAZ (x5) – **p. 13 :** Featureflash/Shutterstock ; IAN LANGSDON/epa/Corbis ; Joe Seer/Shutterstock ; Condé Nast Archive/Corbis – **p. 15 :** Beboy/Fotolia (x9) ; Au Rendez-Vous de Montmartre, 15, rue La Vieuville 75018 PARIS ; bunyos/Fotolia ; AS-kom/Shutterstock ; Tupungato/Shutterstock – **p. 16 :** BAZ (x4) – **p. 17 :** Jeremy Woodhouse/Blend Images/Photononstop ; CHRISTOF STACHE/AFP ; David M. Benett/Getty Images – **p. 18 :** Guillaume GAFFIOT/VISUAL Press Agency ; Elena Alexandrova et Eric Allouche (x3) – **p. 19 :** l i g h t p o e t/Shutterstock – **p. 20 :** LOIC VENANCE/AFP ; BAZ (x4) – **p. 21 :** Aztec Images/Shutterstock ; Helga Esteb/Shutterstock ; Laurent Renault/Fotolia ; Frédéric Massard/Fotolia – **p. 22 :** peshkov/Fotolia ; Rido/Fotolia ; Beboy/Fotolia ; Andres Rodriguez/Fotolia ; nanettegrebe/Fotolia ; Mike Flippo/Shutterstock – **p. 23 :** ExQuisine/Fotolia ; Lukas Gojda/Fotolia ; arska n/Fotolia ; alain wacquier/Fotolia ; JJAVA/Fotolia ; nickola_che/Fotolia ; manouila/Fotolia – **p. 24 :** Punto Studio Foto/Fotolia ; BAZ (x4) – **p. 25 :** danr13/Fotolia – **p. 26 :** Zoran Karapancev/Shutterstock ; Denis Makarenko/Shutterstock ; Verwendung weltweit/DPA/Photononstop ; Nata Sdobnikova/Shutterstock ; Gilles Targat/Photo12 ; Denis Makarenko/Shutterstock – **p. 27 :** luzulee/Fotolia ; Eric Robert/VIP Production/Corbis – **p. 28 :** Gil C/Shutterstock ; Beboy/Fotolia ; Eugene Ivanov/Shutterstock ; Ociacia/Shutterstock ; wickerwood/Fotolia – **p. 29 :** Justin Stephens/USA Network/NBCU Photo Bank via Getty Images ; DFree/Shutterstock ; BARBARA WALTON/epa/Corbis ; alain wacquier/Fotolia ; Howard Sandler/Shutterstock ; iiolab/Shutterstock ; Claudia Paulussen/Fotolia ; victoria p./Fotolia ; Kagenmi/Fotolia ; neirfy/Fotolia ; GIBLEHO/Fotolia ; Olivier Le Moal/Fotolia ; Sarikian Vladimir/Shutterstock ; Bloomua/Shutterstock – **p. 30 :** s_bukley/Shutterstock ; sldesign1/Fotolia ; ArtemSam/Fotolia – **p. 31 :** COLLECTION CHRISTOPHEL© Les productions du Tresor / DR – **p. 32 :** DragonImages/Fotolia ; RENAULT Philippe / hemis.fr/Afp ; 360b/Shutterstock – **p. 33 :** Pecold/Shutterstock – **p. 34 :** javiindy/Fotolia ; icsnaps/Fotolia ; Marc Rigaud/Fotolia ; Ian HANNING/REA – **p. 35 :** Vidéo, Catherine Deneuve : © 1960-2014 Larry Shaw/Roger-Viollet BAZ (x3) ; goodluz/Fotolia – **p. 36 :** Ferenz/Shutterstock ; Dvarg/Fotolia ; eatcute/Fotolia ; meunierd/Shutterstock ; Rolf Hicker/Age Fotostock ; yganko/Fotolia – **p. 37 :** s_bukley/Shutterstock ; ivan bastien/Shutterstock ; Loredana Cirstea/Shutterstock – **p. 38 :** Vidéo, Tour Eiffel : Marine26/Fotolia ; vidéo, parc de Saint-Coud : Caroline Rose/Centre des monuments nationaux BAZ (x3) – **p. 39 :** Alliance/Fotolia ; gdx/Fotolia ; Magali Delporte / Picturetank – **p. 40 :** lesniewski/Fotolia ; Jakez/Shutterstock ; Gerhard Bittner/Fotolia ; RobertNyholm/Fotolia ; emiliano85/Fotolia ; DWP/Fotolia ; Alain Lauga/Shutterstock ; Rambaud/Alpaca/Andia.fr/Fotolia ; emirkoo/Fotolia ; Jasminka KERES/Shutterstock ; beatrice prève/Fotolia ; Pierre-Jean Durieu/Shutterstock ; pilipphoto/Fotolia ; Rozol/Fotolia – **p. 41 :** jccuvelier/Fotolia ; CITIZENSIDE/JALLAL SEDDIKI / citizenside.com/Afp – **p. 42 :** Fyle/Fotolia ; Stuart Forster/REX/REX/SIPA ; Mihai-Bogdan Lazar/Fotolia ; skyfish/Shutterstock ; Rainer Lesniewski/Shutterstock – **p. 46 :** Elena Alexandrova et Eric Allouche – **p. 47 :** COLL CHRISTOPHE L – **p. 48 :** BAZ (x5) – **p. 49 :** Azlifah Aziz/Shutterstock ; INTER-PIXELS/Shutterstock – **p. 50 :** gianliguori/Fotolia ;

http://www.restaurantcotecour.fr/ ; vetkit/Fotolia ; fototehnik/Shutterstock ; Vladislav Kochelaevs/Fotolia ; BIS / Ph. © Archives Nathan ; Max Diesel/Fotolia ; leelana/Fotolia ; monticellllo/Fotolia ; pixelrobot/Fotolia ; Fabian Petzold/Fotolia ; Lucky Dragon/Fotolia – **p. 51 :** Elena Alexandrova et Eric Allouche (x2) ; Denis Allard/REA – **p. 52 :** ANNA MURASHOVA PHOTO/Shutterstock ; DURIS Guillaume/Fotolia ; goodluz/Fotolia ; asife/Fotolia ; michael spring/Fotolia ; Ekaterina Pokrovsky/Fotolia ; starryvoyage/Fotolia ; DigiClack (x6) – **p. 53 :** BAZ (x3) – **p. 54 :** elaborah/Fotolia ; jesussanz/Fotolia (x4) ; fond : goodluz/Fotolia ; Hervé de Gueltzl/Photononstop – **p. 55 :** Christian Bertrand/Shutterstock ; Meiqianbao/Shutterstock – **p. 56 :** Nathalie Guyon/France Télévisions – **p. 57 :** Monkey Business/Fotolia – **p. 58 :** LanaK/Fotolia – **p. 59 :** Monkey Business/Fotolia – **p. 61 :** ETIENNE LAURENT/epa/Corbis – **p. 62 :** arthurhidden/Fotolia ; Production Perig/Fotolia ; SEBASTIEN NOGIER/epa/Corbis (x2) ; Jacques Loic/Photononstop – **p. 63 :** Phil Knott/Corbis ; BAZ (x2) – **p. 64 :** Jean-Claude Cohen / VISUAL Press Agency ; vigorin/Fotolia ; chaiyapruek/Fotolia – **p. 65 :** goodluz/Fotolia ; BAZ (x3) – **p. 66 :** Bruno De Hogues/Getty Images – **p. 67 :** Elena Alexandrova et Eric Allouche – **p. 68 :** fond : whitestorm/Fotolia ; jambon : MovingMoment/Fotolia ; saucisson : romantsubin/Fotolia ; saumon : Natika/Fotolia ; légumes : Lukas Gojda/Fotolia ; champignons : bergamont/Fotolia ; sauce : Elenathewise/Fotolia ; glace : BillionPhotos.com/Fotolia ; sandwich : Family Business/Fotolia ; salade de fruits : emuck/Fotolia ; eau : chones/Fotolia ; kebab : exclusive-design/Fotolia ; frites : EggHeadPhoto/Fotolia – **p. 69 :** maglara/Fotolia ; LUDOVIC/REA ; http://www.a-mia.fr/ – **p. 70 :** Laser Game Communication 2015 - RCS Lille Metropole 792 137 572 ; kaktus2536/Fotolia ; Iakov Filimonov/Shutterstock ; seb hovaguimian/Fotolia ; Maxim Pavlov/Fotolia ; CITIZENSIDE/GILLES BADER/Afp ; Pascal Victor/ArtComArt – **p. 71 :** bandeau : source : Facebook ; hemlep/Fotolia ; vector icon/Fotolia ; skarin/Fotolia ; engy1/Fotolia ; Voyagerix/Fotolia ; anetlanda/Fotolia – **p. 72 :** BAZ – **p. 74 :** photosjcc/Fotolia – **p. 75 :** Collectivité Territoriale de Corse ; BIS / Ph. Hubert Josse © Archives Larbor ; Daniel Riffet/Photononstop ; fotoliacreator/Fotolia ; aterrom/Fotolia – **p. 77 :** BAZ (x2) – **p. 78 :** http://www.Voyages-sncf.com ; Studio Mike/Fotolia ; http://www.opodo.fr/ – **p. 79 :** william beaucardet/GNO/Picturetank ; Robin MacDougall/Gettyimages – **p. 80 :** BAZ (x3) – **p. 81 :** Bernard 63/Fotolia ; Elena Alexandrova et Eric Allouche (x2) – **p. 82 :** http://www.lonelyplanet.fr ; goodmanphoto/Fotolia ; BERTHIER Emmanuel / hemis.fr/Afp ; cynoclub/Fotolia – **p. 83 :** Reservoir Dots/Fotolia ; DURIS Guillaume/Fotolia ; Uolir/Fotolia – **p. 84 :** michelgrangier/Fotolia ; Rich Carey/Shutterstock – **p. 85 :** Tomasz Cytrowski/Fotolia – **p. 88 :** DURIS Guillaume/Fotolia – **p. 89 :** DOMINGO LEIVA / ONLY France/Afp – **p. 90 :** BAZ ; MYCHELE DANIAU/AFP ; Present Time ; BAZ (x3) ; ALAIN JOCARD / AFP – **p. 91 :** BAZ – **p. 92 :** http://www.gibertjoseph.com/ – **p. 93 :** Elena Alexandrova et Eric Allouche ; BAZIZ CHIBANE/SIPA ; Elena Alexandrova et Eric Allouche ; Romolo Tavani/Fotolia ; vetkit/Fotolia – **p. 94 :** BAZ (x3) – **p. 95 :** FashionStock.com/Shutterstock (x2) – **p. 96 :** Rawpixel.com/Fotolia ; Markus Bormann/Fotolia – **p. 97 :** *Le Coût de la vie*, 2003, réal. Philippe Le Gay, COLLECTION CHRISTOPHEL © Gimages 6 ; COL-

LECTION CHRISTOPHEL © Pathe / DR Photo Emilie de la Hosseraye ; COLLECTION CHRISTOPHEL © Pathe / DR Photo Emilie de la Hosseraye – **p. 98 :** Oliver Rossi/Corbis ; source : www.cadeaux.com (x3) – **p. 99 :** nikkytok/Fotolia ; juniart/Fotolia ; ArtFamily/Fotolia – **p. 100 :** BAZ – **p. 102 :** Le Berlugan à la Plage, Beaulieu-sur-Mer ; Grand Atlantic Hôtel, Arcachon ; jwblinn/Shutterstock – **p. 103 :** Pascal Lafay / Picturetank – **p. 104 :** BAZ (x2) – **p. 105 :** HLPhoto/Fotolia ; AlexQ/Fotolia ; sborisov/Fotolia ; Alexi TAUZIN/Fotolia ; Vaux-le-Vicomte – **p. 106 :** Collection Christophel © Illumination Entertainment / Universal Pictures International ; Rune Hellestad/Corbis ; Joachim Martin/Fotolia ; rieke-photos/Shutterstock ; Kevin Judd/Cephas/Photononstop (x2) ; vadymvdrobot/Fotolia – **p. 107 :** PHILIPPE MERLE/AFP – **p. 108 :** La Biennale de Lyon ; Sabine Glaubitz/DPA / dpa Picture-Alliance/AFP ; BAZ (x3) – **p. 109 :** BAZ ; Ammentorp/Fotolia – **p. 110 :** Jan Engel/Fotolia ; Floydine/Fotolia ; Alliance/Fotolia ; Lisa F. Young/Fotolia ; Syda Productions/Fotolia ; tabitazn/Fotolia – **p. 111 :** uzhursky/Fotolia – **p. 112 :** Eric Garault/Pasco – **p. 113 :** Esther Duflo : Lea Crespi/Pasco ; Le Point ; L'Express n°3304 / 29.10.2014 ; PHOTOPQR/L'EST REPUBLICAIN/MAXPPP – **p. 116 :** P.Carpentier/SHINE/BUREAU233 – **p. 117 :** LOIC VENANCE/AFP – **p. 118 :** Roger-Viollet ; BAZ ; Christie Goodwin/Redferns/Getty Images ; BAZ – **p. 119 :** BAZ (x3) – **p. 120 :** COLLECTION CHRISTOPHEL © Le Pacte / DR ; Collection Christophel © Les films du 24 / DR ; Collection Christophel © Quad Productions / Ten Films / Gaumont / TF1 Films Production / Korokoro / DR – **p. 121 :** PackShot/Fotolia – **p. 122 :** BAZ (x2) – **p. 123 :** Vincent Gaudin – **p. 124 :** bandeau : source : Facebook ; Kyle Gustafson ZUMA Press/Corbis ; Frederic Legrand - COMEO/Shutterstock (x2) ; iordani/Fotolia ; Astrid Gast/Fotolia ; lassedesignen/Fotolia ; Eugenio Marongiu/Fotolia – **p. 125 :** théâtre du Châtelet ; Denis Rouvre ; PIERRE VERDY/AFP – **p. 126 :** fond : V&P Photo Studio/Fotolia ; Piotr Adamowicz/Fotolia ; Matthias Enter/Fotolia – **p. 127 :** tf1/Tous droits réservés ; France Télévisions/Tous droits réservés (x2) ; DA/M6/Tous droits réservés ; France Télévisions/Tous droits réservés ; frenta/Fotolia ; *Les Revenants* : Tous droits réservés – **p. 130 :** XAVIER LEOTY/AFP ; Collection Christophel© Why not production / France 2 Cinéma – **p. 131 :** Jack Frog/Shutterstock – **p. 132 :** Christophe Lehenaff/Photononstop ; BAZ (x2) – **p. 133 :** QQ7/Shutterstock ; Isaxar/Fotolia – **p. 134 :** Graphithèque/Fotolia ; Leonid Andronov/Shutterstock ; Wilm Ihlenfeld/Fotolia – **p. 136 :** BAZ (x3) ; Vojtech Herout/Fotolia – **p. 137 :** Digital Vision /Getty Images – **p. 138 :** slavun/Fotolia ; arsdigital/Fotolia ; Photographee.eu/Fotolia – **p. 139 :** Jacek_Kadaj/Shutterstock – **p. 140 :** Eugenio Marongiu/Fotolia ; auremar/Fotolia ; goodluz/Fotolia ; Minerva Studio/Fotolia ; Jéromine Derigny / Argos / Picturetank – **p. 141 :** Alexa Brunet/Transit/Picturetank ; Xavier Francolon/SIPA ; Pierre Gleizes/REA ; ChantalS/Fotolia – **p. 144 :** nicos/Fotolia ; Jean-Paul Comparin/Fotolia ; Photographee.eu/Shutterstock ; Gilles Paire/Fotolia

Direction éditoriale : Béatrice Rego

Marketing : Thierry Lucas

Édition : Charline Heid-Hollaender

Couverture : Miz'enpage ; Dagmar Stahringer

Conception maquette : Miz'enpage

Mise en page : Isabelle Vacher

Recherche iconographique : Laetitia Guillemin

Illustrations : Conrado Giusti ; Oscar Fernandez

Enregistrements : Vincent Bund

Vidéos : BAZ

© CLE International, 2016.
ISBN : 978-209-038525-0

Achevé d'imprimer en juillet 2023
par «La Tipografica Varese Srl» Varese
N° éditeur : 10293726

Tendances est une méthode pour l'apprentissage du français langue étrangère qui s'adresse à des étudiants débutants adultes ou grands adolescents. Ses différents niveaux correspondent à ceux du CECR (Cadre européen commun de référence).

Dans les documents proposés comme dans la méthodologie mise en œuvre, la méthode s'inspire des « tendances » de la société actuelle : accès au numérique, simplicité de l'approche, interactivité, modernité des sujets.

Une méthode construite sur des scénarios actionnels

Les objectifs de *Tendances* sont résolument pratiques. Chaque niveau comporte 9 unités qui proposent, chacune, à l'étudiant **un scénario actionnel**, anticipation d'un moment de sa vie future d'utilisateur de la langue.

Ces scénarios sont des suites d'actions représentant chacune un savoir-faire à acquérir et une tâche à réaliser. Par exemple, l'unité 1 *Arriver dans un pays francophone* prépare l'étudiant à être accueilli par un francophone, à donner des informations sur soi oralement ou en remplissant une fiche de renseignements, à aborder quelqu'un pour s'informer, etc.

Dès les premières unités, *Tendances* **prépare l'étudiant à être pleinement acteur dans la société francophone où il va évoluer.** Des séquences vidéo façon *sitcom*, dont la bande son peut constituer un support autonome, sont intégrées aux leçons. Elles proposent de nombreuses situations de la vie quotidienne traitées avec humour. Les documents écrits sont représentatifs de l'actualité des pays francophones. L'ensemble reflète les comportements, les intérêts, les préoccupations des jeunes actifs de ces sociétés.

Tendances **s'appuie aussi largement sur des interactions dans le groupe classe**, qu'il s'agisse des tâches de compréhension, des petites discussions par deux ou en petits groupes ou des jeux de rôles. La peur de parler, de faire des erreurs est ainsi très vite dissipée.

L'apprentissage de la grammaire et du vocabulaire fait appel à la fois à l'intuition, à la réflexion et à des procédures d'automatisation. *Tendances* développe le sens des régularités de la langue. La grammaire comme les conjugaisons des verbes sont abordées progressivement, par petits ensembles en s'appuyant sur une pédagogie de la découverte. L'organisation en scénarios actionnels facilite le retour régulier des thèmes et des points grammaticaux. Ainsi, les situations relatives à la nourriture seront abordées en A1 dans l'unité 3 (*Vivre dans une famille*), développées dans l'unité 4 (*Participer à une sortie*), reprises en A2 dans l'unité 1 (*Recevoir des amis*) et dans l'unité 6 (*Sortir*).

À la fin de chaque unité, **un projet individuel ou collectif donne à l'étudiant l'occasion de mobiliser ses acquis dans une tâche concrète** : créer le groupe Facebook de la classe, présenter des photos de sa ville ou de sa région, faire un programme de sortie, écrire un courriel de voyage, etc.

Nous avons eu le souci de ne proposer que des tâches que l'étudiant aura de fortes chances de réaliser lorsqu'il sera autonome.

Avec *Tendances*, l'étudiant est acteur dans son apprentissage. La méthodologie l'invite constamment à trouver lui-même les solutions aux problèmes qu'il se pose. En même temps, elle se veut **rassurante** car elle s'appuie sur **une progression réaliste**, adopte **des démarches graduées**, fournit de nombreux exercices de renforcement et de vérification des compétences dans le livre de l'élève et dans le cahier d'activités et propose à la fin de chaque unité un récapitulatif des outils grammaticaux et lexicaux qu'il aura découverts.

Tableau des contenus

Unités	Objectifs actionnels	Grammaire et conjugaison
0 **Commencer en français**	• adopter le français comme langue de la classe • comprendre la méthode	
1 **Arriver dans un pays francophone**	• aborder ou accueillir quelqu'un • se présenter sur un forum • compléter une fiche de renseignements • s'inscrire sur un réseau social ou dans un club • **Projet :** **Créer le groupe Facebook de la classe**	• les articles définis et indéfinis • les articles contractés (*du, de la, de l', des*) • la négation • les marques du féminin et du masculin, du singulier et du pluriel • les formes *je – tu / vous – il – elle* des verbes en -*er* • les verbes *être – connaître – comprendre – écrire*
2 **Découvrir une ville**	• s'orienter et trouver une adresse dans une ville • s'informer grâce à un guide ou un site dédié à une ville • **Projet :** **Présenter une ville**	• les prépositions de lieu • les articles contractés (*au, à la, à l', aux*) • la question avec *est-ce que* • réponse : *oui – si – non* • *il y a* • les formes *nous – ils – elles* des verbes • les verbes *aller – venir – voir – dire*
3 **Vivre dans une famille**	• rencontrer les membres d'une famille • s'adapter à de nouvelles habitudes et à un rythme de vie • organiser son temps • **Projet :** **Présenter une famille**	• les adjectifs possessifs (un seul possesseur) • la conjugaison pronominale • le pronom *on* • les verbes *avoir – faire – finir – prendre*
4 **Participer à une sortie**	• faire un projet de sortie • inviter et répondre à une invitation • préparer un pique-nique • **Projet :** **Faire un programme de sortie**	• le futur proche • l'impératif • les articles partitifs *du – de la* • l'expression de la quantité (*un peu de – beaucoup de* – etc.) • les verbes *savoir – vouloir – pouvoir – devoir*

Thèmes et actes de communication	Phonétique	Civilisation
• dire son nom • les éléments du livre de français • les consignes • les nombres de 1 à 10 • les actes essentiels de politesse (*bonjour / au revoir – excusez-moi – s'il vous plaît – merci*)	Vue d'ensemble de la prononciation du français : • l'accent et le rythme • les voyelles orales et nasales • les consonnes	• *tu* ou *vous*
• donner des renseignements sur soi (nom, prénom, nationalité, activité, adresse) • identifier des personnes et des choses (*qui est-ce ? – qu'est-ce que c'est ? – quel... ?*) • exprimer ses goûts	• la question par intonation • les marques orales du féminin et du masculin, du singulier et du pluriel • la prononciation de la phrase négative • le son [y]	• une maison d'hôtes • les réseaux sociaux • les étrangers à Paris • quelques lieux et personnalités célèbres
• *premier, deuxième*, etc. • les lieux de la ville • situer et s'orienter • les nombres de 11 à 1 000 • donner une date, un âge	• le son [v] • l'enchaînement • l'intonation de la question	• le calendrier des manifestations de l'année à Lyon • la ville de Québec • la vie à Bruxelles • fêtes et célébrations en France • les villes en France
• la famille • comprendre et dire l'heure • exprimer ses goûts et ses préférences • exprimer l'importance (*un peu, beaucoup, pas du tout*) • présenter un emploi du temps • exprimer la possession • demander quelque chose	• les voyelles nasales [ɑ̃] et [ɔ̃] • les sons [ə] et [œ]	• les horaires en France • le nom de famille • la série télévisée *Fais pas ci, fais pas ça* • le dimanche en France
• les sorties • la nourriture • exprimer son accord et son désaccord • rapporter les paroles de quelqu'un • exprimer un problème	• les sons [v] et [f] • les sons [œ] et [ø] • les sons [s] et [z] • les sons [k] et [g] • le rythme de la phrase négative	• les loisirs et les sorties en France • les sorties des jeunes • déjeuner en France

Tableau des contenus

Unités	Objectifs actionnels	Grammaire et conjugaison
5 **Voyager**	• organiser et faire un voyage • résoudre des problèmes lors d'un voyage • visiter une région • **Projet :** **Écrire une carte postale ou un courriel de voyage**	• le passé composé • les adjectifs possessifs (plusieurs possesseurs) • l'appartenance (*être à* + pronom) • l'explication (*pourquoi – parce que / pour*) • les verbes *partir – dormir – descendre – recevoir*
6 **Faire des achats**	• choisir un vêtement, un cadeau, etc. • acheter chez un commerçant ou sur internet • offrir ou recevoir un cadeau • **Projet :** **Offrir un cadeau**	• les adjectifs démonstratifs • les constructions comparatives et superlatives • l'interrogation par inversion du pronom sujet • les verbes *acheter – payer – vendre* • les verbes en *-yer*
7 **Se faire des relations**	• faire la connaissance de quelqu'un : engager et poursuivre la conversation en parlant de son travail, de ses relations, de ses intérêts • échanger des messages amicaux • **Projet :** **Présenter une personnalité**	• les pronoms objets directs et indirects • l'expression de la durée (*depuis, pendant*) • les verbes *croire – vivre – plaire*
8 **Organiser ses loisirs**	• aller au cinéma et au concert • regarder la télévision • faire du sport • **Projet :** **Créer votre programme télé**	• l'imparfait • le pronom relatif *qui* • le pronom *en* • l'expression de la fréquence • les verbes *se rappeler – entendre – perdre – mourir*
9 **Se loger**	• choisir un environnement et un logement • aménager son cadre de vie • résoudre un problème propre au logement • **Projet :** **Imaginer votre logement idéal**	• le pronom *y* • construction à l'impératif avec un pronom • l'expression de la continuité (*toujours, encore / ne...plus*) • faire une supposition (*si* + verbe au présent) • les verbes *mettre – peindre – suivre*

Thèmes et actes de communication	Phonétique	Civilisation
• publicités et programmes de voyage • les moyens de transports, les documents de voyages, les annonces • la météo • décrire un déplacement • formules d'entrée et formules finales dans les lettres et les messages	• le groupe verbal au passé composé • les sons [ʒ] et [ʃ]	• le transport en train en France (la SNCF) • la France touristique : la Normandie, le Jura, la Camargue, l'île de la Réunion
• les vêtements • les cadeaux • les moyens de paiement • les couleurs • l'expression de la nécessité	• l'enchaînement dans les phrases superlatives • les sons [f] et [v]	• acheter en France • faire un cadeau en France (occasions et comportements)
• le travail et les professions • présenter une personne (biographie – personnalité – intérêts) • formules écrites pour : féliciter, remercier, s'excuser, inviter, formuler un souhait • comprendre un message téléphonique	• prononciation des groupes verbaux avec pronoms • les marques orales du féminin	• les sujets courants de conversation • les Français à l'étranger • les vœux du jour de l'An • quelques personnalités scientifiques récemment récompensées : Artur Avila, Esther Duflo, Eliott Sarrey
• les spectacles • les sports • la télévision • raconter un souvenir • donner une opinion	• distinguer l'imparfait et le passé composé • le groupe verbal avec en • voyelles orales et voyelles nasales en finale	• quelques films à succès : Qu'est-ce qu'on a fait au Bon Dieu ? et Samba • les religions en France • le chanteur Stromae • la chanson francophone • les sports les plus pratiqués en France
• le logement : le quartier, l'habitation • les meubles et les objets de la maison • prendre rendez-vous • décrire un itinéraire • donner des instructions • l'expression de la nécessité (il faut – avoir besoin de)	• le son [r] • le son [j] • prononciation des groupes verbaux à l'impératif avec pronoms	• les Français et le logement • le rêve du départ à l'étranger

Les unités

Une unité 0 et 9 unités bâties chacune sur un scénario actionnel. Le scénario actionnel représente une suite d'actions orientées vers un but : *Arriver dans un pays francophone, Découvrir une ville, Vivre dans une famille, Organiser une sortie*, etc.

Chaque unité comporte :
- **une page de présentation des objectifs**
- **5 leçons**, chacune sur une double-page, **développant un moment possible du scénario actionnel** : trouver une adresse, compléter une fiche de renseignements, s'habituer à un rythme de vie, prendre rendez-vous, etc.

Cet objectif est atteint au terme d'un **parcours d'apprentissage** qui voit se succéder différentes **tâches**. Par exemple, la leçon « Rencontrer les membres d'une famille » (unité 3, leçon 1) implique comme tâches : identifier les membres d'une famille, exprimer la possession, etc.

La 5e leçon, qui est elle aussi un moment du scénario actionnel, donne lieu à **la réalisation d'un projet**.
- **une double-page « Outils »**
- **une page « Bilan »**

Les leçons

• Les leçons 1 et 3 et le matériel vidéo / audio

Elles sont **à dominante oral** et comportent toujours une séquence vidéo qui constitue le support d'un moment du parcours. Les classes qui ne possèdent pas de matériel de projection pourront travailler avec la seule bande audio.

Les séquences vidéo, à la façon des sitcoms, mettent en scène des situations familières de la vie quotidienne : vie dans une colocation avec ses petits conflits souvent drôles, situations de stage en France vécues par de jeunes étrangers ; soucis quotidiens ; soirée concert ; week-end en Normandie ; récit de souvenirs, etc.

• Les leçons 2 et 4

Elles sont **à dominante écrit** : écrits communicatifs de la vie courante, forums de discussion, articles de presse, etc. La leçon 4 est plus particulièrement axée sur un thème de civilisation.

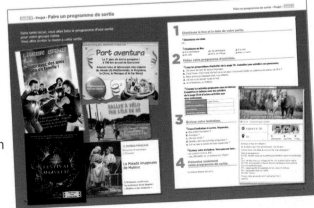

• La leçon « Projet »

Cette leçon est construite selon les étapes de la réalisation d'un projet que l'étudiant devra mener à bien. Cette réalisation permet de remettre en œuvre les savoir-faire acquis dans les quatre leçons précédentes.

De nombreux outils pour un apprentissage efficace

• Les tâches
L'objectif de la leçon est atteint au terme d'un parcours d'apprentissage qui voit se succéder différentes tâches.

• Les activités de compréhension
Un appareil pédagogique important aide les étudiants dans leur travail de compréhension des documents oraux ou écrits : QCM, questionnaire de recherche, vrai ou faux, phrases à compléter, tableaux à remplir...

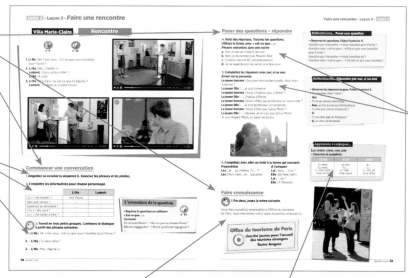

• Les exercices
Ils ont pour but la vérification de la compréhension des systèmes de la langue et contribuent à leur automatisation.

• Les activités
Elles visent la communication et l'acquisition des savoir-faire actionnels.

• Les post-it « Apprenons à conjuguer »
Ils proposent un apprentissage progressif des conjugaisons fondé sur l'observation, la production d'hypothèses et leur vérification.

• Les focus « Réfléchissons... »
Ces focus sous forme d'encadrés proposent des moments de réflexion sur la langue. Les étudiants y induisent les structures et les règles grammaticales ou lexicales grâce à de petits exercices guidés par le professeur.

• Les encadrés de phonétique
L'encadré de phonétique propose soit un travail de discrimination et de prononciation des sons, soit un travail sur l'enchaînement des groupes nominaux ou verbaux.

• Les « Point infos »
Ils font le point sur des aspects ponctuels de civilisation en liaison avec le contenu de la leçon.

• Les boîtes « Pour s'exprimer »
Elles sont toujours en relation avec une activité pour laquelle elles fournissent des mots, des expressions et des réalisations d'actes de paroles.

• La double-page « Outils »
Elle récapitule les points de grammaire et de vocabulaire de l'unité. Elle présente aussi la conjugaison des nouveaux verbes. Pour l'étudiant, c'est un aide mémoire et un instrument de référence.

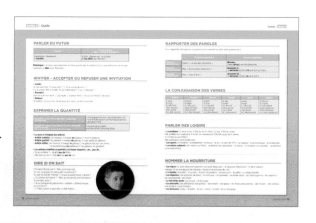

• La page « Bilan »
Elle permet une première auto-évaluation des acquisitions de l'unité.

Le cahier d'activités

Il reprend les contenus de chaque leçon pour les prolonger et les approfondir.
Dans le cahier d'activités, l'étudiant trouvera pour chaque leçon :
– une liste des mots nouveaux ;
– des activités de vérification de la compréhension des textes du livre ;
– des exercices de réemploi du vocabulaire et des expressions introduits dans la leçon ;
– des exercices pour l'automatisation des formes de grammaire et de conjugaison ;
– des exercices complémentaires de prononciation ;
– des exercices d'écoute simples.

Le livre du professeur

Le professeur y trouvera :
– le contenu et l'objectif de chaque leçon ;
– des propositions de parcours et de mises en œuvre diverses ;
– les explications nécessaires pour les points de grammaire, de lexique ou de phonétique ;
– des notes culturelles relatives au contenu des leçons ;
– la totalité des corrigés ou propositions de corrigés des exercices.

Épisode vidéo – *Villa Marie-Claire*

Piste audio

Travail en binôme

Travail en groupe

UNITÉ 0

COMMENCER
EN FRANÇAIS

1
DIRE SON NOM
- Se présenter
- Présenter une personne
- Épeler un nom
- L'accent et le rythme

2
COMPRENDRE LA MÉTHODE
- Faire connaissance avec le livre
- Compter (nombres de 1 à 10)
- Comprendre les consignes
- Distinguer l'écrit et l'oral
- Les voyelles orales et nasales

3
SYMPATHISER
- Utiliser les mots de politesse
- Dire *tu* ou *vous*
- Les consonnes

Se présenter

1. Regardez votre professeur. Écoutez.

Bonjour. Je m'appelle...

2. À vous !

Je m'appelle...

Présenter une personne

Villa Marie-Claire   **La villa Marie-Claire**

N° 1   N° 1

1. Elle, elle s'appelle Marie-Claire,
   Marie-Claire Dumas.
2. Lui, c'est Grégoire... Greg...
3. Bonjour ! Moi, je m'appelle Mélanie.

À Saint-Cloud, près de Paris

3. a. Regardez ou écoutez la séquence 1 de *Villa Marie-Claire*. Associez les phrases et les photos.

1. → ....
2. → ....
3. → ....

b. Comment s'appellent les personnages ?
Photo a : Elle s'appelle ....
Photo b : ....
Photo c : ....

4. Complétez les phrases avec : *au revoir – salut – bonjour*.

a. .... ! Moi, je m'appelle Mélanie.
b. Mamie, ... !
– .... Mélanie.
c. .... Greg !

5. Associez.

1. Madame Dumas   **a.** Greg
2. Grégoire   **b.** Marie-Claire
3. Mélanie   **c.** un artiste
                      d. la grand-mère de Mélanie
                      e. une étudiante

6. Voici des Français célèbres. Comment ils s'appellent ?

| Coco Chanel | Omar Sy | Marion Cotillard | Teddy Riner |

Épeler un nom

7. Écoutez et répétez les lettres de l'alphabet.
N° 2

A a – B b – C c – D d – E e – F f – G g –
H h – I i – J j – K k – L l – M m – N n – O o –
P p – Q q – R r – S s – T t – U u – V v – W w –
X x – Y y ⁽¹⁾ – Z z

⁽¹⁾ « i » grec

8. Dialoguez avec votre voisin(e). Présentez-le / la à la classe.

Pour s'exprimer

• Comment vous vous appelez ? – Je...
• Comment vous épelez ... ?
• Elle / Il s'appelle...
• C'est...

L'accent et le rythme

1. L'accent.
a. Observez. Écoutez l'accent. Répétez.
 N° 3

1 mot = 1 syllabe → oui – non – lui – elle
1 mot = 2 syllabes → bonjour – salut – mamie – madame – Grégoire – parlez – artiste
1 mot = 3 syllabes → écrivez – Mélanie – étudiante

2. Le rythme
b. Le mot : observez. Écoutez le mot. Répétez.
 N° 4

1 groupe rythmique = 1 mot → Bonjour.
1 groupe rythmique = 2 mots → Bonjour madame.

c. La phrase : observez. Écoutez le rythme. Répétez.
 N° 5

1 phrase = 1 groupe rythmique → Bonjour Mamie.
1 phrase = 2 groupes rythmiques → Lui, c'est Grégoire.
1 phrase = 3 groupes rythmiques → Elle, elle s'appelle Marie-Claire, Marie-Claire Dumas.

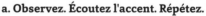

Unité 0 - Leçon 2 - Comprendre la méthode

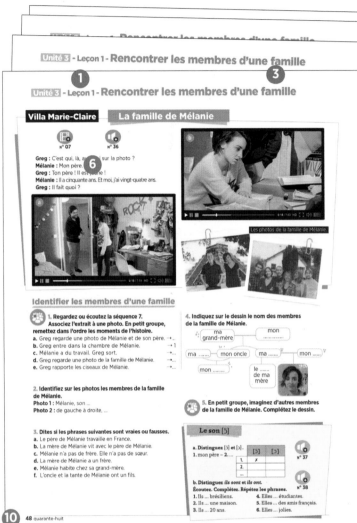

Faire connaissance avec le livre

1. Dans les photos ci-dessus, trouvez :

a. une unité

b. une leçon

c. une page

d. l'objectif de la leçon

e. une photo

f. un dialogue

g. un tableau de grammaire

h. un tableau de conjugaison

i. un exercice

j. la consigne de l'exercice

Compter

2. Écoutez et répétez.

N° 6

1. un

2. deux

3. trois

4. quatre

5. cinq

6. six

7. sept

8. huit

9. neuf

10. dix

Comprendre les consignes

3. Reliez.

a. Écoutez !
b. Parlez !
c. Regardez !
d. Répétez !
e. Observez !

f. Complétez !
g. Reliez !
h. Demandez !
i. Répondez !

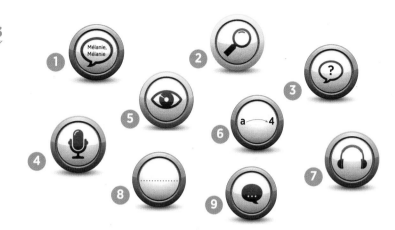

 4. Écoutez et mimez la consigne.
N° 7

a. Écrivez « 2 ». – b. Répétez...

Distinguer l'écrit et l'oral

 5. Regardez les panneaux. Écoutez.
N° 8

**Notez : les lettres non prononcées ;
les lettres accentuées ; les lettres enchaînées.**

Hôtel de Paris à Saint-Tropez

Nous aimons Les Deux Alpes

8ᵐᵉ ARR. AVENUE DES CHAMPS-ÉLYSÉES

 6. Écoutez et répétez.
N° 9

a. Je m'appelle Mélanie.
b. Vous vous appelez Greg ?
c. C'est un artiste.
d. Elle s'appelle Anna.
e. Au revoir Anna !

Les voyelles orales et nasales

**1. Les voyelles orales
a. Observez. Écoutez. Répétez.** N° 10

[a] = page [ɛ] = 7 [e] = répétez [œ] = neuf [ø] = 2
[ɔ] = or [o] = photo [i] = il [y] = Salut ! [u] = ouf !

**2. Les voyelles nasales
b. Écoutez et prononcez les voyelles nasales.** N° 11
[ã] = 100 [ɛ̃] = 5 [ɔ̃] = bon [œ̃] = 1
c. Distinguez les voyelles orales et les voyelles nasales. Répétez.

[a]	la grammaire	[ã]	la grand-mère
[ɛ]	7	[ɛ̃]	5
[ɔ]	or	[ɔ̃]	bon
[œ]	neuf	[œ̃]	1

 N° 12

Unité 0 - Leçon 3 - Sympathiser

Villa Marie-Claire — Bonjour Greg !

N° 2

N° 13

1. Vous aimez mon café ?
2. Bonjour madame Dumas.
3. Greg ! Les croissants !
4. Tu aimes les croissants ?

Utiliser les mots de politesse

**1. Regardez ou écoutez la séquence 2.
Associez les phrases et les photos.**

1. → ...　　　3. → ...
2. → ...　　　4. → ...

2. Complétez avec les mots de politesse.
Madame Dumas : Bonjour Greg.
Greg : ...
Madame Dumas : ...
Greg : Ça va. Et vous ?
Madame Dumas : Ça va ! Un café ?
Greg : ...

....

Greg : Bon, ben, ...
Mélanie : Greg ! Les croissants.
Greg : Oh, ...
Mélanie : ... Greg.
Greg : Ciao !

3. Imaginez une réponse.
Exemple : **a.** – Bonjour madame.
– *Bonjour monsieur.*
b. – Oh, excusez-moi ! – ...
c. – Un café ? – ...
d. – Comment ça va ? – ...

au revoir	madame
bonjour	monsieur
ça va	merci
de rien	s'il vous plaît
excuse-moi	

Dire *tu ou vous*

4. Choisissez la bonne phrase.

Exemple : a. → 1

a. Greg à madame Dumas :
1. Vous aimez le cinéma ?
2. Tu aimes le cinéma ?
b. Mélanie au professeur de l'université :
1. Vous parlez italien ?
2. Tu parles italien ?
c. Mélanie à madame Dumas :
1. Vous écoutez Lady Gaga ?
2. Tu écoutes Lady Gaga ?
d. Un étudiant à une étudiante :
1. Vous aimez les croissants ?
2. Tu aimes les croissants ?

5. Imaginez leur dialogue. Utilisez :

Pour s'exprimer

• Bonjour ... Au revoir...
• Comment ça va ? – Ça va bien.
• Vous aimez ... ? – Oui / Non.
• S'il vous plaît... Merci.
• Excusez-moi / Pardon. – De rien.

Réfléchissons... *tu* ou *vous* ?

• **Complétez avec *tu* ou *vous*.**
a. Madame Dumas à Greg : ... aimez mon café ?
b. Mélanie à Greg : ... aimes les croissants ?
c. Madame Dumas à Mélanie : ... aimes le sport ?
d. Greg à madame Dumas : ... aimez la musique ?
e. Greg à Mélanie : ... parles allemand ?

Les consonnes et les semi-consonnes

a. Observez. Écoutez. Répétez. N° 14

Distinguez ...	de ...
[k] **c**afé	[g] **G**régoire
[t] **t**hé	[d] **d**eux
[p] **p**arlez	[b] **b**ien
[ʃ] **ch**ambre	[ʒ] **j**e, bon**j**our
[s] **s**ix	[z] li**s**ez
[f] **ph**oto	[v] **v**ous

b. Prononcez les autres consonnes. N° 15

[l] **l**ivre   [r] **r**egardez
[n] **n**euf   [ɲ] champa**gn**e
[m] **m**adame

c. Les semi-consonnes
Écoutez et prononcez. N° 16

[wa] tr**oi**s   [ɥi] **hui**t   [j] cah**i**er

Remarquez les sons difficiles pour vous.

1. DIRE VOTRE NOM

Complétez le dialogue.

Le professeur : Comment vous vous appelez ?
Vous : ......
Le professeur *(à une étudiante)* **:** Et vous, ... ?
L'étudiante : ...... Noémie Duchamp.

2. PRÉSENTER UNE PERSONNE

Présentez :
a. votre professeur à une étudiante ;
b. un étudiant à votre professeur.
Il / Elle s'appelle...
C'est...

3. ÉPELER UN NOM

N° 17

Écoutez. Trouvez le nom qui est épelé.

1. LOUIS   **4.** VINCENT
2. ISABELLE   **5.** LUCAS
3. ANNE

4. COMPTER

Prononcez et écrivez en lettres.
8 : huit
1 : ...   0 : ...   5 : ...   7 : ...

5. COMPRENDRE DES CONSIGNES

N° 18   Écoutez et mimez la consigne.

a. Regardez la photo p. 9.
b. ...   **c.** ...   **d.** ...   **e.** ...

6. DIRE *TU* OU *VOUS*

Choisissez la bonne phrase.
a. Mélanie à Greg :
1. Tu aimes la musique électro ?
2. Vous aimez la musique électro ?
b. Greg à madame Dumas :
1. Vous aimez le cinéma ?
2. Tu aimes le cinéma ?
c. Le professeur à une étudiante :
1. Comment vous vous appelez ?
2. Comment tu t'appelles ?
d. Vous à votre voisine ou à votre voisin :
1. Vous aimez le français ?
2. Tu aimes le français ?

7. DISTINGUER L'ÉCRIT ET L'ORAL

N° 19   Écoutez. Barrez les lettres non prononcées.
Indiquez les enchaînements.

a. Elle s'appelle Zaz.
b. C'est une artiste.
c. Elle aime le kung-fu.

8. UTILISER LES MOTS DE POLITESSE

**Observez les photos. Quels mots de politesse ils utilisent
dans les situations a, b et c ?**

ARRIVER
DANS UN PAYS FRANCOPHONE

1 **SE PRÉSENTER**
- Accueillir quelqu'un
- Compléter une fiche de renseignements

2 **DONNER DES INFORMATIONS SUR SOI**
- Comprendre des informations sur une personne
- Dire sa nationalité, présenter ses activités
- Se présenter par écrit

3 **ABORDER QUELQU'UN**
- S'informer
- Dire *non*

4 **DEMANDER UN RENSEIGNEMENT**
- Poser des questions – répondre
- Identifier – préciser

PROJET

CRÉER LE GROUPE FACEBOOK DE LA CLASSE
- Compléter un formulaire d'inscription
- Exprimer ses goûts

Villa Marie-Claire   Un nouveau locataire

N° 3

N° 20

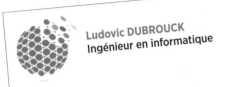

Ludovic DUBROUCK
Ingénieur en informatique

Rue du Canal, 20
1000 – BRUXELLES
BELGIQUE

ludodb@hotmail.com
02 538 700000

La ville de Saint-Cloud, à côté de Paris.

1. **Madame Dumas :** Ah, monsieur Dubrouck, bonjour ! Entrez !
2. **Mélanie :** C'est sympa Bruxelles... Un coca ? Un café ? ... Assieds-toi.
3. **Ludovic :** Je suis Ludovic Dubrouck.

Accueillir quelqu'un

1. Regardez ou écoutez la séquence 3.
Associez les phrases et les photos.

2. Complétez. Associez chaque phrase à une photo.
1. **Mélanie :** Bonjour...
2. **Madame Dumas :** C'est qui ?
   Ludovic : Ludovic Dubrouck. C'est...
3. **Madame Dumas :** Voilà, ...
   Ludovic Dubrouck. Ludovic ... belge.
4. **Mélanie :** Ah, tu ... belge ! Tu ... où en Belgique ?

3. Répondez *oui* ou *non*.
a. Ludovic est français.
b. Mélanie habite en Belgique.
c. Ludovic aime le café.

4. Complétez la fiche ci-dessous.

Nom : ....
Prénom : ....
Nationalité : ....
Profession : ....
Adresse : ....
Téléphone : ....
Courriel : ....

5. Présentez Ludovic.
Il s'appelle...

Apprenons à conjuguer...

LE VERBE *ÊTRE*
• **Complétez la conjugaison avec les formes du dialogue.**

ÊTRE
je ...
tu ...
il / elle ...
vous êtes

6. Conjuguez les verbes.
Dans un café à Bruxelles
La serveuse : Voici votre café.
Louis : Merci. Vous *(être)* belge ?
La serveuse : Non, je *(être)* française.
Louis : Moi aussi. Tu *(être)* de Paris ?
La serveuse : Oui, mais j'*(habiter)*
à Bruxelles. Mon ami *(être)* belge.

LES VERBES RÉGULIERS EN -ER
• **Complétez avec les formes que vous connaissez.**
– **Verbes commençant par une consonne**

PARLER	REGARDER
je ...	je regarde
tu parles	tu ...
il / elle ...	il / elle regarde
vous parlez	vous ...

7. Conjuguez les verbes en -er.
Phrases entendues dans une soirée
a. Vous *(aimer)* la série *Homeland* ?
b. Tu *(habiter)* à Marseille ?
c. Tu *(écouter)* la radio ?
d. J'*(aimer)* le cinéma brésilien.
e. Mélanie *(parler)* allemand.
f. Tu *(regarder)* Koh Lanta
à la télévision ?
g. Vous *(écouter)* Rihanna ?

– **Verbes commençant par une voyelle ou *h***

AIMER	HABITER
j' ...	j' ...
tu ...	tu ...
il / elle ...	il / elle ...
vous ...	vous ...

Compléter une fiche de renseignements

8. Regardez la carte d'identité. Présentez cette personne.

9. Complétez la fiche pour vous.

RÉPUBLIQUE FRANÇAISE
Service immigration

Nom de naissance : ...   Prénom(s) : ...
Sexe : ❑ M   ❑ F
Date de naissance : __/__/____
Nationalité : ...
Lieu de naissance : Ville : ...   Pays : ...

La question par l'intonation

• **Écoutez et répétez.**
C'est qui ?
C'est monsieur Dubrouck ?
L'ingénieur belge ?
Oui, c'est lui.
Il habite où ?
À Bruxelles.

N° 21

www.jeunesetrangersparis.com

LE FORUM DES JEUNES ÉTRANGERS À PARIS

Vous êtes jeune. Vous êtes étranger ou français. Vous cherchez des amis ou des amies...

Bonjour,
Je m'appelle Marcos. Je suis espagnol. Je parle français et anglais. J'habite à Paris, dans le quartier de Montmartre. Je suis graphiste. J'aime le théâtre et le cinéma.

Salut,
Je suis une étudiante espagnole. J'habite à Paris dans le 15e arrondissement. J'aime la musique, les séries télévisées et le tennis. Je parle français et allemand.
Paula

Je suis indonésienne. Je m'appelle Nuri. Je suis étudiante en français. Je parle anglais. J'aime l'opéra et la danse. J'aime aussi les sports. J'habite dans le 18e arrondissement.

Comprendre des informations sur une personne

1. Lisez le forum. Complétez la fiche pour chaque personne.

Nom ou prénom	*Marcos*	...	...
Nationalité	*espagnol*	...	...
Adresse	...	...	...
Profession ou activité	...	...	...
Langues parlées	...	...	...
Intérêts	...	...	...

2. Répondez *oui* ou *non*.
a. Marcos habite à Madrid.
b. Marcos parle espagnol.
c. Paula parle trois langues.
d. Paula est française.
e. Nuri aime la musique.
f. Nuri est sportive.

Le masculin et le féminin

• **Cochez dans le tableau. Répétez.**
1. Elle est italienne...   2. Elle est...

N° 22

	Masculin	Féminin
1.		x
2.		
...		

Dire sa nationalité

3. **Complétez le menu du restaurant.**
Utilisez les nationalités du tableau, et aussi :
argentin – marocain – mexicain – turc.

Le restaurant international

la paëlla espagnole

la pizza …

le caviar …

le couscous …

le guacamole …

le hamburger …

la feijoada …

la parrillada …

le kebab …

les sushis …

4. Accordez l'adjectif.
Présentations
Je m'appelle Mélanie. Je suis *(français)*.
Voici Ann. Elle est *(anglais)*.
Lisa. Elle est *(allemand)*.
Leila. Elle est *(algérien)*.
Beatriz. Elle est *(mexicain)*.
Jenina. Elle est *(polonais)*.
Alessia. Elle est *(belge)*.

Présenter ses activités

N° 23

5. Écoutez. Notez leurs activités préférées.

la danse → …
la musique → …
la télévision → …
le cinéma → *a.*
le football → …

le ski → *a.*
le tennis → …
le théâtre → …
les sports → …

Réfléchissons... **Le masculin et le féminin**

• **Observez et complétez.**

Masculin	Féminin
Marcos est espagnol.	Paula est espagnole.
Oliver est américain.	Kate est…
Akio est…	Aïko est japonaise.
Luigi est italien.	Giulia est…
Ronaldinho est brésilien.	Dalia est…
Chang est…	Lian est chinoise.
Anton est russe.	Lena est…

• **Indiquez les marques écrites du féminin.**

Adjectif masculin terminé par...	Adjectif féminin terminé par...
consonne (d – s – l)	consonne + e
-ais	…
-ain	…
-ien	…
-e	…

Réfléchissons... **Les articles définis**

• **Relevez les activités des participants au forum.**
Classez-les dans le tableau. Complétez avec d'autres activités.

	Il / Elle aime...
Masculin singulier	le théâtre – …
Féminin singulier	…
Singulier devant voyelle	l'opéra – …
Pluriel	…

• **Notez les marques du pluriel.**

le sport → les sports   l'exercice 4 → les exercices 4 et 5

Se présenter par écrit

6. Écrivez votre présentation dans le forum des jeunes étrangers à Paris.

www.jeunesetrangersparis.com

Je m'appelle… Je suis…

J'habite… J'aime…

Villa Marie-Claire   ## L'entreprise Florial

 N° 4   N° 24

1. L'hôtesse : Vous écrivez comment Adrien ? Avec un A ou avec un H ?
2. L'hôtesse : Monsieur Dominique, c'est le bureau 42, par là.
3. Li Na : Bonjour. Je cherche madame Dominique Adrien.

Cosmétiques & Parfums

Le quartier de la Défense à Paris

S'informer

1. Regardez ou écoutez la séquence 4. Associez les phrases et les photos.

2. Complétez les phrases du dialogue.
Li Na : Bonjour. Je cherche madame Dominique Adrien.
L'hôtesse : Excusez-moi, je...
Li Na : Adrien, madame Dominique Adrien.
L'hôtesse : Je...
L'hôtesse : Ah, je comprends ! Ce ... madame Dominique Adrien, c'est monsieur Adrien Dominique.

3. Dites si ces phrases sont vraies ou fausses. Observez les formes en gras.
a. Li Na cherche madame Adrien.
b. L'hôtesse **ne** connaît **pas** madame Adrien.
c. L'hôtesse **ne** connaît **pas** monsieur Adrien Dominique.
d. Monsieur Adrien Dominique **n'est pas** au bureau 10.
e. Monsieur Adrien Dominique est au bureau 42.

Dire *non*

4. « Villa Marie-Claire ». Répondez aux questions. Utilisez la forme négative.
a. Madame Dumas habite à Lyon ?
→ *Non, elle n'habite pas à Lyon.*
b. Mélanie est professeur ?
c. Ludovic est français ?
d. Li Na connaît madame Adrien ?

5. Répondez.
a. Vous parlez russe ?
b. Vous comprenez l'arabe ?
c. Vous aimez les films en japonais ?
d. Vous écrivez le chinois ?

6. Conjuguez les verbes.
Rencontre

– Vous comprenez le français ?
– Oui, je (*comprendre*) le français.
– Et votre ami ?
– Il ne (*comprendre*) pas le français.
– Vous (*être*) française ?
– Non, je (*être*) anglaise.
– Vous (*connaître*) Paris ?
– Oui, je (*connaître*) Paris.
– Et votre ami ?
– Lui, il ne (*connaître*) pas Paris.

7. Complétez avec les verbes : *aimer – chercher – comprendre – connaître – être – parler.*
Dans la rue

Une Italienne : Excusez-moi. Je … le restaurant *La Bourgogne*.
Greg : Désolé. Je ne … pas le restaurant *La Bourgogne*. Vous … étrangère ?
L'Italienne : Oui, je … italienne.
Greg : Mais vous … bien le français.
L'Italienne : Oui, je … français.
Greg : Vous … les restaurants chinois ? Je connais un très bon restaurant chinois !

8. Imaginez le dialogue.
Première rencontre

Pour s'exprimer

• Vous êtes… ? Vous connaissez… ?
• Vous comprenez… ?
• Vous habitez… ? Vous parlez… ?
• Vous aimez… ?

Réfléchissons… La négation

• Complétez avec la négation ou l'affirmation.

Affirmation	Négation
– Oui, je comprends.	– Non, je **ne** comprends **pas**.
– Je connais Li Na.	– ……………………
– ……………………	– L'hôtesse ne comprend pas.
– Elle est française.	– ……………………
devant voyelle ou h	
– Greg habite à Saint-Cloud.	– Greg **n'**habite **pas** à Lyon.
– C'est le bureau 42.	– ……………………
– ……………………	– Ce **n'**est **pas** grave.
– Elle écrit à Mélanie.	– ……………………

Apprenons à conjuguer…

LES VERBES *CONNAÎTRE, COMPRENDRE, ÉCRIRE*

• Observez les régularités de la conjugaison de *connaître*. Complétez les conjugaisons des autres verbes.

CONNAÎTRE	COMPRENDRE	ÉCRIRE
je connais	je comprends	j'écris
tu connais	tu …	tu …
il / elle connaît	il / elle …	il / elle …
vous connaissez	vous comprenez	vous …

Prononciation de la négation

a. Marquez l'accent et les lettres non prononcées. Répétez.
Seule à New York   N° 25
Je ne suis pas américaine.
Je ne connais pas New York.
Je ne comprends pas l'anglais.
Je ne parle pas anglais.

b. Marquez l'accent et l'enchaînement. Répétez.
Supporter   N° 26
Il n'habite pas à Marseille… Il habite à Paris.
Il n'est pas marseillais… Il est parisien.
Il n'aime pas l'OM… Il aime le PSG…

TEST

20 Questions sur Paris

❁ Les lieux... Qu'est-ce que c'est ?

a. La Concorde	**1.** un musée
b. Montmartre	**2.** un quartier touristique
c. Le Louvre	**3.** une place
d. Notre-Dame	**4.** des bureaux
e. Les tours de la Défense	**5.** une cathédrale

✳ Les statues... Qui est-ce ?

a. Pierre et Marie Curie	**1.** un écrivain
b. Marie Stuart	**2.** un roi
c. Charles de Gaulle	**3.** une reine
d. Victor Hugo	**4.** des scientifiques
e. Louis XIV	**5.** un homme politique

✿ Les Parisiens et Parisiennes célèbres...
Quel est leur prénom ?

a. Piaf	**1.** Emma
b. Besson	**2.** Sophie
c. Guetta	**3.** Édith
d. Watson	**4.** Luc
e. Marceau	**5.** David

❀ Les étrangers à Paris...
Quelle est leur nationalité ?

a. Nathalie Portman	**1.** argentine
b. Neymar	**2.** espagnol
c. Kenzo	**3.** brésilien
d. Bérénice Bejo	**4.** japonais
e. Pablo Picasso	**5.** américaine

Poser des questions – répondre

1. Faites le test avec l'aide du professeur.
Comptez vos points : .../20.

2. Relevez les types de questions.
Qu'est-ce que c'est ? – ....

3. Associez la question et la réponse.

a. Qui est-ce ?	**1.** Français, espagnol et allemand.
b. Quel est son prénom ?	**2.** Elle est française.
c. Quelle est sa nationalité ?	**3.** C'est une étudiante.
d. Quelles langues elle parle ?	**4.** Le hip hop et la zumba.
e. Quels sont ses intérêts ?	**5.** Marie.
f. Qu'est-ce que c'est ?	**6.** Ce sont des danses.

Le son [y]

- **Distinguez [y], [u] et [i]. Répétez.**
– Salut, L**ou** !
– Salut, L**i**sa ! **T**u habites **où** ?
Rue de R**i**v**o**li ? **R**ue d**u** R**ou**le ?
– Non, j'habite à **T**ou**lou**se
Dans la n**ou**velle avenue
Tout près de la sta**t**ue.

N° 27

Identifier – préciser

4. Complétez avec *un, une, des*.

– Tu connais le 5ᵉ arrondissement de Paris ?
– Oui, c'est … quartier sympathique avec … université,
… cinémas, … restaurants.
– Je connais … café sympa dans le 5ᵉ arrondissement.
Il s'appelle *Le Danton*.

5. Complétez avec *le, la, l', les*.
Les phrases du professeur
Regardez … photos !
Écoutez … dialogue !
Lisez … exercice !
Complétez … phrases !
Prononcez … phrase !

6. Complétez avec un article défini ou indéfini.

– J'habite Grenoble. C'est … belle ville avec … grand
campus universitaire. Grenoble est dans … Alpes.
C'est … ville de Stendhal, … auteur du livre *Le Rouge
et le Noir*.
– Je connais … étudiants étrangers à Grenoble.
Ils habitent dans … rue Jean-Jacques Rousseau.

7. En petit groupe, imaginez un test « Dix questions sur votre ville ou votre pays ». Utilisez les questions du test.

Réfléchissons… Les articles indéfinis et définis

• Dans la partie « Les lieux », observez les articles.
Classez-les dans le tableau.

	Lieu précis	Type de lieux
Masculin singulier	…	…
Féminin singulier	la Concorde	une place
Pluriel	…	…

• Complétez les tableaux.
– Les articles indéfinis
Pour identifier une chose ou une personne.

Masculin singulier	Féminin singulier	Pluriel
un quartier	… cathédrale	… rues

– Les articles définis
Pour parler d'une personne ou d'une chose précise.

Masculin singulier	Féminin singulier	Pluriel
le roi de France	… place de la Concorde	….tours de la Défense
Devant voyelle ou *h* …..hôtel Ritz		

 Point infos

LES ÉTRANGERS ET PARIS

Il y a à Paris 12 % d'étrangers. Ils viennent d'Afrique du Nord (Algérie,
Maroc, Tunisie), des pays de l'Afrique francophone, d'Europe (Espagne,
Italie, Portugal, etc.) ou d'Asie (Vietnam).
Des étrangers célèbres à Paris :
– des artistes : Blanca Li (chorégraphe espagnole), Marjane Satrapi
(auteur de BD et cinéaste iranienne), Miquel Barceló (peintre espagnol),
Andy Gardiner (DJ anglais), Arik Levy (designer israélien) ;
– des écrivains : Zoé Valdés (cubaine), Nancy Huston (canadienne),
Douglas Kennedy (américain), Yasmina Khadra (algérien) ;
– des comédiens : Juliana Carneiro da Cunha (brésilienne) ;
– des hommes politiques : Hô Chi Minh (vietnamien).

Marjane Satrapi

Dans cette leçon, vous allez créer le groupe Facebook de votre classe.

1 Inscrivez-vous sur Facebook.

1. Complétez le formulaire avec ces informations.

> Pierre LANGLOIS
> 28/01/1992
> plngls@hotmail.com
> c2jr75

2. Complétez le formulaire avec vos informations.

2 Trouvez un nom pour votre groupe ou votre classe.

3. Regardez ces noms de groupe ou de classe. En petit groupe, choisissez un nom pour votre groupe ou votre classe.

3 Créez le groupe de la classe.

4. Faites la liste des membres du groupe. Complétez le tableau.

	Nom	Prénom	Ville ou quartier	Profession ou activité	Langues parlées
1.	Rodriguez	Noémie	Toulouse	étudiante en médecine	français – espagnol – italien
2.	...	...	...	...	...
...	...	...	...	...	...

5. Créez le groupe de la classe : indiquez le nom de votre groupe et ajoutez tous les membres.

facebook f

Inscription

| Prénom | Nom de famille |

| Adresse électronique |

| Confirmer l'adresse électronique |

| Mot de passe |

Date de naissance

| Jour ▼ | Mois ▼ | Année ▼ |

+ Créer un groupe

| Nom du groupe |

| Membres |

 Groupe des Champs-Élysées

 Classe Jules Verne

 Groupe 3D

 Classe Monet

4

Choisissez vos personnalités préférées.

6. Choisissez cinq artistes, écrivains, hommes politiques, etc. Partagez leur page sur la page de votre groupe. Indiquez en commentaire leur nom, profession, etc.

Exemple :

Docteur House,
médecin dans le New Jersey

5

Notez vos goûts.

**7. Lisez le document « J'aime... / Je n'aime pas... » et l'encadré « Réfléchissons ».
Complétez avec *de, du, de la, de l', des*.**
a. les étudiants ... université
b. les chansons ... Céline Dion
c. le bureau ... professeur
d. l'adresse ... grand-mère ... Mélanie
e. le nom ... étudiants ... madame Mercier

**8. Posez deux « questions » sur la page de votre groupe :
« Le groupe aime... ? Le groupe n'aime pas... ? » Répondez et notez les goûts de votre groupe.**
Le groupe aime...
Le groupe n'aime pas...

6

Choisissez des photos.

**9. Choisissez cinq photos. Partagez les photos dans votre groupe.
Écrivez une phrase pour chaque photo.**

J'aime écouter les Daft Punk.

Florent Manaudou,
champion olympique
de natation

♥ J'aime...

 le couscous

 le cinéma de la rue Champollion

 les films de Mélanie Laurent

 l'accent des étudiants russes

 les cafés du quartier Bastille

 la bibliothèque de l'université

💔 Je n'aime pas...

 la musique classique

 les films de Tarantino

 les exercices de grammaire

Réfléchissons... La construction « *de* + nom »

• **Dans le document ci-dessus, observez les transformations.**
de + nom sans article → les films **de** Tarantino
de + *le* + nom → les cafés **du** quartier Bastille
de + *la* + nom → ...
de + *l'* + nom → ...
de + *les* + nom → ...

(i) Point infos

LES FRANÇAIS ET LES RÉSEAUX SOCIAUX

85 % des Français utilisent internet. Les réseaux sociaux populaires sont Facebook (63 %), Skype (47 %), Copains d'Avant (32 %), Google + (32 %), Deezer (28 %), YouTube (27 %), Twitter (17 %) et LinkedIn (14 %).

NOMMER

• **Les articles définis.** Pour nommer une personne et une chose précise.

Masculin singulier	Féminin singulier	Masculin ou féminin singulier devant voyelle ou *h*	Pluriel
le directeur de l'école **le** musée du Louvre	**la** grand-mère de Mélanie **la** place de la Concorde	**l'**avocat de François **l'**hôtel *Ritz*	**les** étudiants français **les** cafés de Montparnasse

N.B. : on utilise aussi l'article défini pour nommer des goûts et des préférences. (*J'aime **le** café.*)

• **Les articles indéfinis.** Pour nommer un type de personne ou de chose, pour expliquer.

Masculin singulier	Féminin singulier	Pluriel
Ludovic Dubrouck est **un** ingénieur belge. Le *Ritz* est **un** hôtel.	Mélanie est **une** étudiante. La Concorde est **une** place.	Je cherche **des** étudiantes américaines. Je connais **des** restaurants chinois à Paris.

CARACTÉRISER – PRÉCISER

• **Par un adjectif**
J'aime les chanteurs **anglais**.
Le groupe Coldplay est **anglais**.
C'est un groupe **anglais**.

• **Par un complément avec *de***
de (+ nom sans article) : le professeur **de** Marie
du (*de + le*) : le bureau **du** professeur
de la : les étudiants **de la** classe
de l' (devant une voyelle ou *h*) : les cafés **de l'**avenue des Champs-Élysées
des (*de + les*) : la photo **des** étudiants

LE FÉMININ ET LE PLURIEL

• **Féminin des adjectifs et des noms de profession et de nationalité**
consonne → -e : un avocat / une avocate ; il est argentin / elle est argentine.
-er → -ère : un étranger / une étrangère
-ien → -ienne : il est italien / elle est italienne
-eur → -euse : un vendeur / une vendeuse

• **La marque du pluriel est généralement -*s*.**
un livre → des livre**s**

CONJUGUER LES VERBES

• **Les verbes en -*er***

Parler	Écouter	Chercher
je parle tu parles il / elle parle vous parlez	j'écoute tu écoutes il / elle écoute vous écoutez	je cherche tu cherches il / elle cherche vous cherchez

• **Les autres verbes**

Être	Connaître	Comprendre	Écrire
je suis tu es il / elle est vous êtes	je connais tu connais il / elle connaît vous connaissez	je comprends tu comprends il / elle comprend vous comprenez	j'écris tu écris il / elle écrit vous écrivez

LA NÉGATION

– Mélanie parle russe ? – Non, elle **ne** parle **pas** russe.
– Elle est italienne ? – Non, elle **n'**est **pas** italienne.

POSER DES QUESTIONS

• **Comment** vous vous appelez ?
• **Où** vous habitez ?
• **Quel** est votre prénom ?
• **Quelle** est votre nationalité ?
• **Quels** cafés vous connaissez ?
• **Quelles** langues vous parlez ?
• **Qui est-ce** sur la photo ?
• **Qu'est-ce que c'est** ?

Polisse, film de Maïwenn (2011)

1. DONNER DES INFORMATIONS SUR VOUS
Répondez.
a. Quel est votre prénom ?
b. Quelle est votre adresse ?
c. Quelle est votre profession ou votre activité ?
d. Quelle est votre nationalité ?
e. Quelle est votre adresse électronique ?

2. COMPRENDRE DES INFORMATIONS SUR UNE PERSONNE
Lisez le texte. Dites si les phrases sont vraies (V) ou fausses (F).
a. Manjul Kumar crée une start up.
b. Manjul Kumar est français.
c. Manjul Kumar ne comprend pas le français.
d. Manjul Kumar aime le sport.
e. Manjul Kumar n'aime pas lire.

Une nouvelle start up à Montpellier

Manjul Kumar est un Indien de New Delhi mais il connaît la France et il parle très bien français. Ingénieur en informatique, il crée à Montpellier une entreprise spécialisée dans l'imagerie médicale.
Monsieur Kumar aime la littérature française. Il aime aussi le cinéma et le tennis.

3. RÉPONDRE POSITIVEMENT OU NÉGATIVEMENT
Répondez par une phrase.
a. Vous connaissez la Chine ?
b. Vous parlez japonais ?
c. Vous comprenez le russe ?
d. Vous écoutez TV5 en français ?
e. Vous aimez les exercices de grammaire ?

4. UTILISER LES ARTICLES
Complétez avec un article.
Je connais ... ville de Montréal. C'est ... ville jeune et internationale.
Mon ami Alexandre habite dans ... rue Sainte-Catherine. C'est ... quartier sympathique avec ... restaurants et des boutiques.

N° 28 5. DISTINGUER LE MASCULIN ET LE FÉMININ, LE SINGULIER ET LE PLURIEL
Écoutez et cochez la bonne case.

	On parle...			
	...d'un homme	...d'une femme	...d'hommes	...de femmes
1.				
2.				
...				

6. DEMANDER UN RENSEIGNEMENT
Reliez les questions et les réponses.
Un étranger visite Berlin avec une amie

a. Qui est-ce ?
b. Bertolt Brecht, qui est-ce ?
c. Quelle est sa nationalité ?

1. Il est allemand.
2. C'est un auteur de théâtre.
3. C'est Bertolt Brecht.

UNITÉ 2

Nancy, place Stanislas.

DÉCOUVRIR
UNE VILLE

1 **S'ORIENTER**
- Comprendre et décrire un itinéraire
- Les nombres de 11 à 60
- Premier, deuxième, troisième...

3 **FAIRE UNE RENCONTRE**
- Commencer une conversation
- Poser des questions – répondre
- Faire connaissance

2 **TROUVER UNE ADRESSE**
- Comprendre une adresse
- Situer
- Caractériser des personnes et des choses

4 **CONNAÎTRE LES MANIFESTATIONS DE L'ANNÉE**
- Comprendre et présenter un calendrier de manifestations
- Donner une date
- Les nombres de 60 à 1 000

PROJET

PRÉSENTER UNE VILLE
- Situer
- Indiquer les lieux touristiques d'une ville
- Présenter les manifestations festives et culturelles de l'année

Simon 0647310219

Salut Noémie, je suis à la gare.
Je vais où ?
Simon

J'habite 12 rue de la République.
Ce n'est pas loin.
À la sortie de la gare, tu vas tout droit,
c'est l'avenue Feuchères.
Au bout de l'avenue, tu tournes à
gauche sur le boulevard de Bruxelles.
Puis, tu tournes à droite dans la rue
du 11 novembre.
Puis, à gauche dans la première rue.
C'est la rue de la République.
J'habite au 12, au troisième étage.
En face, il y a les célèbres arènes de
Nîmes. Le code porte est le 2032.

Écrire un SMS

Comprendre un itinéraire

1. Observez les documents et répondez.
a. Où est Simon ?
b. Il va où ?
c. Où habite Noémie ?

2. Retrouvez sur le plan l'itinéraire de Simon.

3. Notez les indications de direction.
Aller tout droit...

Apprenons à conjuguer...

LE VERBE *ALLER*
• **Complétez la conjugaison.**

ALLER
je ...
tu ...
il / elle ...
vous ...

Le son [v]

• **Écoutez et répétez.**
Vacances   N° 29
Elle **v**a aux Bahamas
Il **v**a en Ba**v**ière
Vous allez à Boulogne
Tu **v**as à Falaise
Je **v**ais à Beyrouth

Villa Marie-Claire | Où est le bureau 42 ?

 N° 5   N° 30

1. Li Na : Vous allez au bureau 42 ?
Ludovic : Non, je vais au 45.

2. Li Na : Excusez-moi, je cherche le bureau 42.

3. Éric : Ah, monsieur Dominique ! Alors, c'est tout droit... et au bout du couloir, tournez à gauche... Dans le couloir, c'est le deuxième bureau à droite.

Décrire un itinéraire

4. Regardez ou écoutez la séquence 5. Associez les phrases et les photos.

5. Dites si les phrases suivantes sont vraies ou fausses.
a. Li Na cherche le bureau 42.
b. Le bureau 42 est le bureau de monsieur Adrien Dominique.
c. Li Na connaît le bureau 42.
d. Éric connaît le bureau 42.
e. Ludovic va aussi au bureau 42.
f. Le bureau 45 est loin du bureau 42.

 6. Par deux, dessinez les déplacements de Li Na.

7. Vous habitez 20 rue Monjardin, à Nîmes (voir le plan de la page 34). Un ami vous envoie ce SMS. Répondez-lui.

> Bonjour ! Je suis à la gare. Comment aller chez toi ?

Réfléchissons... Compter

LES NOMBRES DE 11 À 60
• **Complétez la liste des nombres.**

11 : onze	12 : douze	13 : treize
14 : quatorze	15 : quinze	16 : seize
17 : dix-sept	18 : dix-huit	19 : dix-neuf

20 : vingt	21 : vingt et un
22 : vingt-deux	....

30 : trente	31 : trente et un	....

40 : quarante	41 : quarante et un	....

50 : cinquante	51 : cinquante et un	....

60 : soixante

INDIQUER UN ORDRE
• **Complétez la liste des étages de l'immeuble de Noémie.**

1er : premier étage – 2e : deuxième étage –
3e : ... – 4e : ... – 5e : ... – 6e : ... – dernier étage

 Les bonnes adresses de la ville de Québec

À VOIR

● **LA RUE SAINT-JEAN**
La rue principale de la vieille ville. À gauche et à droite, jolies petites rues avec de vieilles maisons.

● **LA CATHÉDRALE NOTRE-DAME DE QUÉBEC**
Entre l'Hôtel de ville et le parc Montmorency.

● **LE MUSÉE DE L'AMÉRIQUE FRANCOPHONE**
Derrière la cathédrale. Pour connaître l'histoire du Québec.

● **LE CHÂTEAU FRONTENAC**
Un grand hôtel de 611 chambres. En haut de la ville.

● **LA TERRASSE DUFFERIN**
Devant le château Frontenac. Belle vue sur le Saint-Laurent.
Au bout de la terrasse, on arrive à la promenade des Gouverneurs puis aux Plaines d'Abraham.

PRATIQUE

● **AUBERGE DE LA CHOUETTE**
71 rue d'Auteuil. À côté du parc de l'Esplanade. Belle vue sur le parc.

● **RESTAURANT *CHEZ TEMPOREL***
25 rue Couillard. Au bout de la rue Saint-Jean. Près de l'Hôtel de ville.

Petit resto sympa et pas cher.

● **PUB *SAINT-PATRICK***
Au 1200 de la rue Saint-Jean, à côté de *Chez Temporel*. Chansons québécoises et folk irlandais.

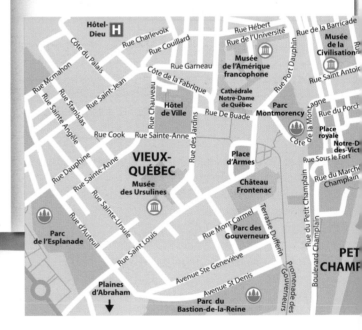

Comprendre une adresse

1. En petit groupe, trouvez les adresses sur le plan.

2. Relevez les expressions de lieu.
À gauche, ...

3. Associez les mots des deux colonnes.

a. un boulevard
b. un parc
c. un hôtel
d. un café
e. une cathédrale
f. un quartier

1. un pub
2. un jardin
3. une auberge
4. un arrondissement
5. une avenue
6. une église

Situer

4. Regardez ce décor de film. Complétez avec une expression de lieu.
a. Le cinéma est ... de la banque.
b. La banque est ... l'hôtel et le cinéma.
c. L'université est ... la banque.
d. La statue est ... la banque.
e. Le musée est ... du château.
Il est ... l'hôtel.

5. Complétez avec une préposition de lieu. Aidez-vous du dictionnaire.
• **Les pays et les villes**
Carrières internationales
a. Moi, je suis ingénieur ... Lagos, ... Nigéria.
b. Mon amie Justine est professeur ... États-Unis,
... San Francisco.
c. Cyril habite ... Lausanne, ... Suisse.
d. Clémentine est avocate internationale. Elle va dans
les pays d'Amérique du Sud, ... Brésil, ... Argentine, ... Chili.

• **Les autres lieux**
SMS
– Tu es où ?
– Je suis ... moi. Je regarde une série. Puis, je vais ...
cinéma avec Alex. Et toi ?
– Je suis ... gare. Je vais ... Paris voir Stromae ... Olympia.

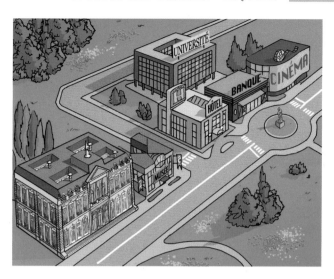

Réfléchissons... Les prépositions de lieu

• **Lisez le dialogue. Observez les prépositions en gras. Complétez le tableau.**
Léa : Tu vas où en vacances ? **En** Espagne ? **Aux** États-Unis ?
Léo : Non, je vais **au** Portugal, **à** Lisbonne.
Léa : Tu vas **à l'**hôtel ?
Léo : Non, je vais **chez** un ami. Il est guide **au** musée
et **à la** cathédrale.

Devant un nom de pays	masculin	au
	féminin	...
	pluriel	...
Devant un nom de ville		...
Devant un nom de lieu	masculin	...
	féminin	...
	devant une voyelle ou *h*	...
	pluriel	aux
Devant un nom de personne		...

Caractériser des personnes et des choses

6. Caractérisez avec les adjectifs du tableau.
Exemple : a. Le tableau est beau. Il est petit...
a. Le tableau *La Joconde* (Mona Lisa)
b. Le château de Versailles
c. La tour Eiffel
d. Les plats d'un grand restaurant
e. L'actrice Emma Watson
f. Un guide touristique

1. beau (belle)	**5.** joli (jolie)
2. bon (bonne)	**6.** petit (petite)
3. cher (chère)	**7.** pratique (pratique)
4. grand (grande)	**8.** vieux (vieille)

7. Présentez à la classe les bonnes adresses de votre ville ou d'une ville que vous connaissez.

L'enchaînement

• **Écoutez et répétez.**
Las Vegas

N° 31

Tu es à Las Vegas.
Moi, je suis à Paris.
Quand je vais à la banque,

Tu vas au parc.
Quand je suis au bureau,
Tu vas au casino.

Villa Marie-Claire — **Rencontre**

N° 6   N° 32

1. **Li Na :** Ah, c'est vous… Est-ce que vous travaillez pour Florial ?
2. **Li Na :** Moi, j'habite ici.
   Ludovic : Dans la tour Eiffel ?
   Li Na : À côté.
3. **Li Na :** Et à Paris, où est-ce que tu habites ?
   Ludovic : J'habite là, à Saint-Cloud.

Commencer une conversation

1. Regardez ou écoutez la séquence 6. Associez les phrases et les photos.

2. Complétez les informations pour chaque personnage.

	Li Na	Ludovic
Où il / elle travaille ?	*chez Florial*	…
Dans quel service ?	…	…
Quelle est sa nationalité ?	…	…
D'où il / elle vient ?	…	…
Où il / elle habite ?	…	…

 3. Travail en trois petits groupes. Continuez le dialogue à partir des phrases suivantes.

1. **– Li Na :** Ah, c'est vous… Est-ce que vous travaillez pour Florial ?
   – …
2. **– Li Na :** Tu viens d'où ?
   – …
3. **– Li Na :** Moi, j'habite ici.
   – …

L'intonation de la question

N° 33

- Répétez la question en utilisant « **Est-ce que…** ».

Curiosité

Tu connais Paula ? → Est-ce que tu connais Paula ?
Elle est espagnole ? → Est-ce qu'elle est espagnole ?
…

Poser des questions – répondre

**4. Voici des réponses. Trouvez les questions.
Utilisez la forme avec « est-ce que... ».**
Phrases entendues dans une soirée
a. Oui, je vais au théâtre demain.
b. Non, je ne connais pas Mounir Atar.
c. Il habite dans le 16ᵉ arrondissement.
d. Je ne regarde pas les séries à la télévision.

5. Complétez les réponses avec *oui, si* ou *non*.
Erreur sur la personne
Le jeune homme : Excusez-moi mademoiselle. Vous êtes italienne ?
La jeune fille : ..., je suis italienne.
Le jeune homme : Vous n'habitez pas à Rome ?
La jeune fille : ..., j'habite à Rome.
Le jeune homme : Vous n'êtes pas professeur à l'université ?
La jeune fille : ..., je suis professeur à l'université.
Le jeune homme : Vous n'êtes pas Sylvia Monti ?
La jeune fille : ..., désolée, je ne suis pas Sylvia Monti.
Je suis Angela Monti, la sœur de Sylvia.

6. Complétez avec *aller* ou *venir* à la forme qui convient.
Propositions
Léa : Je ... au cinéma. Tu ... ?
Léo : Non merci. Je ... travailler.

À l'aéroport
Lui : Vous ... d'où ?
Elle : De New Delhi.
Lui : Vous ... où ?
Elle : À Marseille.

Faire connaissance

 7. Par deux, jouez la scène suivante.

Vous êtes nouvel(le) employé(e) à l'Office du tourisme de Paris. Vous rencontrez un(e) autre nouvel(le) employé(e).

VENIR	VOIR	DIRE
je viens	je vois	je ...
tu viens	tu ...	tu ...
il / elle vient	il / elle ...	il / elle dit
vous venez	vous voyez	vous dites

Office du tourisme de Paris
cherche jeunes pour l'accueil des touristes étrangers
Toutes langues

www.lyon-en-fete.com

Ville de Lyon – Une année de fêtes

▶ **Janvier**

1er janvier : Jour de l'An

▶ **Février**

Mardi 6 : Carnaval

▶ **Mars**

Vendredi 20 : Coupe de France de hockey sur glace

▶ **Avril**

Du vendredi 6 au dimanche 8 : festival du Livre et du Film policier

▶ **Mai**

Les samedi 22 et dimanche 23 : festival des Musiques électro

▶ **Juin**

Mercredi 21 juin : fête de la Musique

▶ **Juillet et Août**

14 juillet : Fête nationale
Tout l'été : les Nuits de Fourvière (théâtre, danse, musique)

▶ **Septembre**

Festival de la danse

▶ **Octobre**

Dimanche 5 : le marathon de Lyon

▶ **Novembre**

Mercredi 20 : fête du Beaujolais nouveau

▶ **Décembre**

Du vendredi 5 au lundi 8 : la fête des Lumières. Les parcs, les places et les monuments illuminés.

Jeudi 25 décembre : Noël

Comprendre un calendrier de manifestations

 1. En petit groupe, repérez :
a. les mois de l'année : *janvier, février, ...*
b. les jours de la semaine : *lundi, ...*

2. Trouvez des manifestations pour Hugo et Clara.

a. Il aime danser.
b. Elle aime la musique.
c. Il aime la fête.
d. Elle aime lire.
e. Il aime les sports.
f. Elle va voir des spectacles.
g. Il aime les rues et les places de Lyon.
h. Elle aime le vin.

AVRIL			MAI		
01 V	Hugues		01 D	Fête du travail	
02 S	Sandrine		02 L	Boris	18
03 D	Richard		03 M	Phil.,Jacq.	
04 L	Isidore	14	04 M	Sylvain	
05 M	Irène		05 D	Ascension	
06 M	Marcellin		06 V	Prudence	
07 J	J.-B. de la Salle		07 S	Gisèle	
08 V	Julie		08 D	Victoire 1945	
09 S	Gautier		09 L	Pacôme	19
10 D	Fulbert		10 M	Solange	
11 L	Stanislas	15	11 M	Estelle	
12 M	Jules		12 J	Achille	
13 M	Ida		13 V	Rolande	
14 J	Maxime		14 S	Matthias	
15 V	Paterne		15 D	Pentecôte	
16 S	Benoît-Joseph		16 L	L. de Pentecôte	20
17 D	Anicet		17 M	Pascal	

Donner une date

3. Répondez aux questions sur les manifestations de l'année à Lyon.
a. Le festival du Livre et du film policier, c'est quand ?
b. Le festival des Musiques électro, c'est le premier week-end d'avril ?
c. Les nuits de Fourvière, c'est quand ?
d. Quel est le jour de la fête de la Musique ?
e. La fête du Beaujolais, c'est en octobre ?

N° 34 **4. Écoutez. Marie et Lucas parlent des vacances. Répondez.**

a. Quand est-ce que Marie va sur la Côte d'Azur ?
b. Quand est-ce que Lucas va au festival de Fourvière ?
c. Il est au festival de quelle date à quelle date ?
d. Il va chez Marie quel mois ?
e. Il arrive quel jour ?

Présenter un calendrier de manifestations

5. Pour des amis étrangers, faites la liste des dates importantes de l'année dans votre ville ou votre région. Travaillez en petit groupe.

Le carnaval de Dunkerque

Le jour de l'An à Paris

ⓘ Point infos

FÊTES ET CÉLÉBRATIONS EN FRANCE

Les Français fêtent :
– Noël (en famille) ;
– le jour de l'An (avec des amis ou en famille) ;
– le 14 juillet (fête nationale) ;
– la Toussaint (1er novembre, jour des morts).
Il y a aussi :
– les fêtes locales (la féria de Nîmes, le carnaval de Dunkerque...) ;
– les fêtes religieuses (l'Aïd pour les musulmans, Noël pour les chrétiens, Roch Hachana pour les juifs) ;
– les fêtes des communautés (le Nouvel An chinois).

Dans cette leçon, vous allez préparer une petite présentation de votre ville préférée.
Vous pouvez présenter votre ville avec un Powerpoint, une affiche avec des photos, etc.
Vous pouvez travailler seul ou en petit groupe.

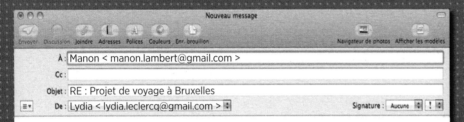

À : Manon < manon.lambert@gmail.com >

Cc :

Objet : RE : Projet de voyage à Bruxelles

De : Lydia < lydia.leclercq@gmail.com >   Signature : Aucune

Le 4 juillet

Bonjour Manon,
Voici des informations sur Bruxelles pour ton projet de voyage.
Bruxelles est une ville de 1,2 million d'habitants. C'est la capitale
de la Belgique. Elle n'est pas loin de la France, de l'Allemagne
et des Pays-Bas.

Il y a de belles choses à voir à Bruxelles. Par exemple, la Grand-Place
avec ses belles maisons du XVIIe siècle. À côté de la Grand-Place, il y a
la petite statue du Manneken-Pis et la fresque de Tintin. Il y a aussi de
jolies rues, de jolies places et la cathédrale Saints-Michel-et-Gudule.

Il y a deux communautés à Bruxelles, les Wallons et les Flamands.
Les Wallons parlent français, les Flamands néerlandais. Les étrangers
sont nombreux. Il y a des Européens. Beaucoup travaillent au Parlement
européen. Il y a aussi des Marocains et des Turcs.
Les Bruxellois sont sympas. Ils aiment parler et plaisanter.

Là, c'est l'été. Nous sommes en vacances. À midi, nous déjeunons
chez *Léon* pour ses célèbres moules-frites. L'après-midi, nous allons
au café *Poechenellekelder* dans la rue du Chêne. Il y a beaucoup
de cafés à Bruxelles. Le soir, nous écoutons de la musique folk dans
le parc de l'Atomium.

Ville de Bruxelles

Pays :	Belgique
Population (agglomération) :	1,2 million d'habitants
Langues parlées :	français et néerlandais

BRUXELLES
BRUSSEL

1 Situez votre ville.

1. Lisez le premier paragraphe du message de Lydia, p. 42. Situez Bruxelles sur une carte. Indiquez les pays qui ont une frontière avec la Belgique.

2. Écrivez quelques lignes pour situer votre ville.

2 Présentez les lieux touristiques.

3. Lisez le deuxième paragraphe. Notez les lieux touristiques de Bruxelles. Trouvez les photos qui correspondent.

4. Présentez les lieux touristiques de votre ville.

3 Parlez des gens.

5. Lisez le troisième paragraphe. Répondez.
a. Bruxelles est une ville internationale ?
b. Comment sont les Bruxellois ?

6. Présentez les gens de votre ville.

4 Parlez des sorties et des activités.

7. Lisez le dernier paragraphe. Quelles sont les sorties de Lydia ?

8. Préparez une liste des sorties et des activités dans votre ville.

5 Présentez votre projet.

Choisissez vos photos. Présentez votre ville à la classe.

Réfléchissons... « il y a »

• **Continuez ces phrases.**
a. Dans la villa Marie-Claire, il y a quatre personnes. Il y a...
b. Dans la ville de Québec, il y a...
c. Dans la classe, ...

Apprenons à conjuguer...

LES FORMES NOUS, ILS / ELLES DES VERBES
• **Dans les deux derniers paragraphes du message, relevez et observez :**
– les formes des verbes avec *nous*.
nous sommes (être), ...
– les formes des verbes avec *ils* ou *elles*.
Les Wallons parlent (parler), ...

• **Complétez les trois personnes du pluriel.**
– Verbes en -*er*

PARLER	TRAVAILLER	ÉCOUTER
nous parlons vous parlez ils / elles ...	nous ... vous ... ils / elles ...	nous ... vous ... ils / elles ...

• **Remarquez.**
À l'oral, on prononce la personne *ils / elles* des verbes en -*er* comme...

– **Autres verbes**

ÊTRE	ALLER
nous ... vous ... ils / elles ...	nous ... vous ... ils / elles...

COMPRENDRE	VENIR
nous ... vous ... ils / elles comprennent	nous ... vous ... ils / elles viennent

INDIQUER UN LIEU

• **Avant un nom de pays**

Nom masculin singulier → **au**
ex. : Il habite **au** Brésil.

Nom féminin singulier → **en**
ex. : Elle travaille **en** Argentine.

Nom pluriel → **aux**
ex. : Il est **aux** États-Unis, **aux** îles Baléares.

• **Devant un nom de ville** → **à**
ex. : Elle arrive **à** Berlin lundi.

• **Autres lieux**

à + le + nom → **au**
ex. : Je vais **au** cinéma.

à + la + nom → **à la**
ex. : Il est **à la** gare.

à + les + nom → **aux**
ex. : Il est **aux** toilettes.

• **Devant un nom de personne** → **chez**
ex. : Ludovic habite **chez** madame Dumas.

SITUER - SE DÉPLACER

• **Indiquer une direction**

aller... → à droite – ← à gauche – ↑ tout droit   tourner... ↷ à droite – ↶ à gauche

• **Situer par rapport à un autre lieu**

dans – sur – devant – derrière – entre – à côté (de) – en face (de) – au bout (de) – en haut (de) –

en bas (de) – loin (de) – près (de)

• **Situer par rapport au lieu où on est**

☞ •   ☞ •   ☞ •
ici...   – là...   – là-bas...

• **Indiquer un ordre**

1er : premier – 2e : deuxième – 3e : troisième – 4e : quatrième – 5e : cinquième ... → dernier

INTERROGER – RÉPONDRE

• **Poser une question**

Question par l'intonation	Question avec « Est-ce que »
Il travaille chez Florial ?	Est-ce qu'il travaille chez Florial ?
Où il habite ? Il habite où ?	Où est-ce qu'il habite ?
Avec qui il travaille ? Il travaille avec qui ?	Avec qui est-ce qu'il travaille ?

• **Répondre**

	Question positive	Question négative
Réponse positive	– Tu es française ? – **Oui**, je suis française.	– Il n'est pas français ? – **Si**, il est français.
Réponse négative	– Tu es française ? – **Non**, je ne suis pas française.	– Il n'est pas français ? – **Non**, il n'est pas français.

LA DATE

• **Les jours de la semaine**
lundi – mardi – mercredi – jeudi – vendredi – samedi – dimanche

• **Les mois de l'année**
janvier – février – mars – avril – mai – juin – juillet – août – septembre – octobre – novembre – décembre

• **Demander et dire une date**
– **Quand** est-ce qu'elle est née ?
... **en** quelle année ? **quel** mois ? **quel** jour ?

– Elle est née **en** 1990,
en juin (**au** mois de juin), **le** 7 juin.

– **Quelle** est la date de la fête nationale ?
– **Quelle** est votre date de naissance ?

24	25	26
hier	aujourd'hui	demain

LES VERBES

• **Verbes en -*er***

Parler	Travailler	Continuer	Arriver
je parle	je travaille	je continue	j'arrive
tu parles	tu travailles	tu continues	tu arrives
il / elle parle	il / elle travaille	il / elle continue	il / elle arrive
nous parlons	nous travaillons	nous continuons	nous arrivons
vous parlez	vous travaillez	vous continuez	vous arrivez
ils / elles parlent	ils / elles travaillent	ils / elles continuent	ils / elles arrivent

• **Autres verbes**

Être	Aller	Venir	Dire	Comprendre	Connaître
je suis	je vais	je viens	je dis	je comprends	je connais
tu es	tu vas	tu viens	tu dis	tu comprends	tu connais
il / elle est	il / elle va	il / elle vient	il / elle dit	il / elle comprend	il / elle connaît
nous sommes	nous allons	nous venons	nous disons	nous comprenons	nous connaissons
vous êtes	vous allez	vous venez	vous dites	vous comprenez	vous connaissez
ils / elles sont	ils / elles vont	ils / elles viennent	ils / elles disent	ils / elles comprennent	ils / elles connaissent

PARLER D'UNE VILLE

• **Pour indiquer une adresse**
une rue – un boulevard – une avenue – une place
un quartier – un arrondissement (à Paris, à Marseille ou à Lyon)
• **Pour les touristes**
un hôtel – un restaurant – un musée – un monument – un château – une cathédrale – un office de tourisme
• **Pour sortir**
un cinéma – un théâtre – un opéra – une salle de spectacle – un parc
• **Pour décrire**
beau (belle) – joli (jolie) – vieux (vieille) – petit (petite) – grand (grande) – cher (chère) – bon (bonne)

1. COMPRENDRE ET DÉCRIRE UN ITINÉRAIRE

a. À Lausanne, un employé de l'hôtel City donne des informations à une touriste. Trouvez où elle va.
L'employé : À la sortie de l'hôtel, allez à gauche vers l'avenue Mon Repos. À l'avenue Mon Repos, tournez à droite. Puis, à gauche, dans la rue Marterey. Ce n'est pas loin, à droite dans la rue.

b. L'employé informe un autre touriste. Trouvez où il va.
L'employé : À la sortie de l'hôtel, allez à droite. Continuez tout droit dans la rue Caroline, puis dans la rue de la Paix. Au bout de la rue de la Paix, vous arrivez à un petit parc. C'est la Promenade Derrière-Bourg. Traversez le parc pour arriver à l'avenue du Théâtre. Tournez à gauche. C'est après le parc, à droite, dans l'avenue.

2. SITUER

Complétez la description de la photo.
Situez les personnes.
Pierre est ... la table.
Clara est ... de Pierre.
Noémie est assise ... Cédric et Marie. Elle est ... de Marie.
Paul est ... Clara.

3. INDIQUER UN LIEU

Complétez avec *à, au (à la, aux), en, chez.*
Anne-Sophie est musicienne. Elle travaille ... Canada, ... États-Unis et ... Europe.
Quand elle travaille ... Londres, elle va ... hôtel *Chelsea*.
Quand elle est ... Italie, elle habite ... des amis.
En juin, elle vient ... Paris et elle participe ... fête de la Musique.

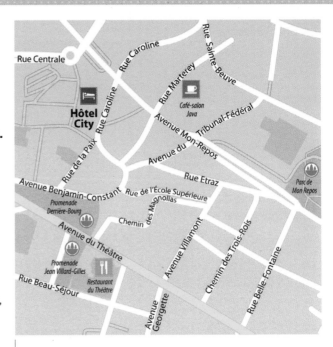

4. INTERROGER, RÉPONDRE

Complétez avec Est-ce *que, oui, si, non.*
Demande de renseignements dans la rue
– Bonjour, ... vous êtes française ?
– ..., je suis espagnole.
– Vous ne parlez pas français ?
– ..., je parle français.
– ... vous connaissez la rue Pasteur ?
– ..., c'est la deuxième rue à droite.

5. DEMANDER, DONNER UNE DATE

a. Voici des réponses. Trouvez les questions.
1. – ... ? – Pierre est né en 1990.
2. – ... ? – La rentrée des classes est en septembre.
3. – ... ? – En France, la fête nationale, c'est le 14 juillet.
4. – ... ? – En semaine, je ne travaille pas le mercredi.
5. – ... ? – Nous déjeunons avec Laurent et Isabelle le 7 juin.

b. Répondez par une phrase.
1. – Vous êtes en vacances quel mois ?
2. – Vous êtes né(e) en quelle année ?
3. – Quels jours de la semaine vous ne travaillez pas ?
4. – La fête nationale de votre pays, c'est quand ?
5. – Quel est votre mois de l'année préféré ?

6. FIXER UN RENDEZ-VOUS

N° 35 **Écoutez et complétez les phrases.**

a. Julie et Cédric fixent un rendez-vous pour ...
b. Le jour du rendez-vous est ...
c. Le lieu du rendez-vous est ...

VIVRE
DANS UNE FAMILLE

1 **RENCONTRER LES MEMBRES D'UNE FAMILLE**
- Identifier les membres d'une famille
- Exprimer la possession
- Dire l'âge
- Demander

3 **PRENDRE DE NOUVELLES HABITUDES**
- Exprimer ses goûts et ses préférences
- S'habituer à un mode de vie différent

2 **ORGANISER SON TEMPS**
- Comprendre et dire l'heure
- S'informer sur un horaire
- À l'heure, en avance, en retard

4 **S'ADAPTER À UN RYTHME DE VIE**
- Raconter sa journée
- Présenter un emploi du temps

PROJET

PRÉSENTER UNE FAMILLE
- Présenter les membres d'une famille

Villa Marie-Claire

La famille de Mélanie

N° 07   N° 36

Greg : C'est qui, là, avec toi sur la photo ?
Mélanie : Mon père.
Greg : Ton père ! Il est jeune !
Mélanie : Il a cinquante ans. Et moi, j'ai vingt-quatre ans.
Greg : Il fait quoi ?

Les photos de la famille de Mélanie.

Identifier les membres d'une famille

1. Regardez ou écoutez la séquence 7.
Associez l'extrait à une photo. En petit groupe,
remettez dans l'ordre les moments de l'histoire.
a. Greg regarde une photo de Mélanie et de son père. →...
b. Greg entre dans la chambre de Mélanie.   → 1
c. Mélanie a du travail. Greg sort.   →...
d. Greg regarde une photo de la famille de Mélanie. →...
e. Greg rapporte les ciseaux de Mélanie.   →...

2. Identifiez sur les photos les membres de la famille
de Mélanie.
Photo 1 : Mélanie, son ...
Photo 2 : de gauche à droite, ...

3. Dites si les phrases suivantes sont vraies ou fausses.
a. Le père de Mélanie travaille en France.
b. La mère de Mélanie vit avec le père de Mélanie.
c. Mélanie n'a pas de frère. Elle n'a pas de sœur.
d. La mère de Mélanie a un frère.
e. Mélanie habite chez sa grand-mère.
f. L'oncle et la tante de Mélanie ont un fils.

4. Indiquez sur le dessin le nom des membres
de la famille de Mélanie.

```
ma                         mon
grand-mère                 ..............

ma .......  mon oncle    ma .......    mon ......

mon .........           le .......
                        de ma
                        mère
```

5. En petit groupe, imaginez d'autres membres
de la famille de Mélanie. Complétez le dessin.

Le son [ɔ̃]

a. Distinguez [ɔ̃] et [ɔ].
1. mon père – **2.** ...

	[ɔ̃]	[ɔ]
1.	✗	
2.		
...		

N° 37

b. Distinguez ils sont et ils ont.
Écoutez. Complétez. Répétez les phrases.

N° 38

1. Ils ... brésiliens.
2. Ils ... une maison.
3. Ils ... 20 ans.
4. Elles ... étudiantes.
5. Elles ... des amis français.
6. Elles ... jolies.

Exprimer la possession

6. Complétez avec un adjectif possessif.
Ludovic montre des photos à Mélanie.

Ludovic : Regarde. Là, c'est ... rue à Bruxelles. Ici, c'est ... appartement. Et ici, ... université.

Mélanie : Et là, ce sont ... amis ?

Ludovic : Oui, ce sont ... amis. Ils sont devant l'Atomium. Il y a Alex et ... copine Émilie, Valérie et ... frère Maxime. Et là, c'est Jessica avec ... deux chiens.

Mélanie : C'est ... copine ?

Réfléchissons... Les adjectifs possessifs

• **Observez les mots en gras. Qu'est-ce qu'ils expriment ?**
Greg : Tiens, **tes** ciseaux.
Mélanie : Sur la photo, c'est **mon** père.
Les mots en gras sont des adjectifs possessifs.

• **Complétez le tableau des adjectifs possessifs avec l'aide du professeur.**

Personne qui possède	Je	Tu	Vous	Il / Elle
Masculin singulier	mon père	...	votre père	...
Féminin singulier	...	...	votre mère	...
Pluriel	...	tes ciseaux	vos enfants	...

---

7. Complétez avec les verbes *avoir* ou *faire*.
Nouveaux copains

– Tu ... des frères et des sœurs ?
– J' ... un frère et une sœur.
– Qu'est-ce qu'ils ... ?
– Mon frère ... des études d'architecte. Ma sœur ... 14 ans.
– Vous ... des amis ici ?
– Nous ... des amis espagnols. Ils ... beaucoup d'amis.
– Vous ... des activités ensemble ?
– Oui, nous ... du vélo et du tennis.

Apprenons à conjuguer...

AVOIR	FAIRE
j'ai	je fais
tu as	tu fais
il / elle a	il / elle fait
nous avons	nous faisons
vous avez	vous faites
ils / elles ont	ils / elles font

Dire l'âge

8. Écoutez. Notez leur date de naissance. Dites leur âge.

N° 39   *Exemple : La reine d'Angleterre est née le 21 avril 1926. Elle a ... ans.*

1. La reine d'Angleterre
2. La chanteuse Lady Gaga
3. Tintin
4. L'actrice Bérénice Bejo (actrice du film *The Artist*)
5. Le président Barack Obama

Demander

9. Trouvez la situation correspondant aux demandes suivantes.

a. Je voudrais m'inscrire.
b. Je voudrais un café.
c. Il y a un bon film à la télé ?
d. Vous avez une chambre ?
e. Je peux sortir ce soir ?

1. Au restaurant
2. À la réception d'un hôtel
3. Un jeune à ses parents
4. À l'accueil de l'université
5. Le soir en famille

AIX-EN-PROVENCE
Pratique

Restaurant *Côté cour*
19 cours Mirabeau
13100 Aix-en-Provence

Ouvert de 12 h à 14 h
et de 19 h à 22 h
Fermé le dimanche

Banque BNP Paribas
6 cours Sextius

Ouvert le lundi de 9 h 00 à 12 h 30
et de 14 h 00 à 18 h 00
Du mardi au vendredi : de 9 h 00 à 17 h 45
Samedi : de 9 h 00 à 12 h 30

Cinéma *Le Cézanne*
1 rue Marcel Guillaume
SALLE 1 – *Lucy* de Luc Besson
avec Scarlett Johansson et Morgan Freeman
Science fiction – 1 h 29
VF : 11 h – 13 h 15 – 15 h 50 – 17 h 30 – 19 h 45 – VO : 21 h 15
SALLE 2 – *Les Garçons et Guillaume à table*
de Guillaume Gallienne avec Guillaume Gallienne
Comédie – 1 h 27 – **Tous les jours : 15 h 35**

Musée Granet
Place Saint-Jean de Malte

Horaires : 10 h 00-19 h 00
(de juin à septembre)
12 h 00-18 h 00
(d'octobre à mai)
**Entrée libre le 1ᵉʳ dimanche
de chaque mois**

Comprendre et dire l'heure

1. Faites correspondre les phrases et les photos.
a. Il est neuf heures.
b. Il est dix heures dix.
c. Il est trois heures et quart.
d. Il est cinq heures et demie.
e. Il est six heures moins vingt.
f. Il est midi moins le quart.

2. Complétez les heures en chiffres.
Il est quelle heure ? Quelle heure est-il ?
LE MATIN
8 h 00   huit heures (du matin)
......   huit heures quinze (huit heures et quart)
......   huit heures trente (huit heures et demie)
......   midi
L'APRÈS-MIDI
......   douze heures quarante-cinq (une heure moins le quart)
......   treize heures (une heure de l'après-midi)
LE SOIR
......   dix-huit heures (six heures du soir)
......   dix-huit heures dix (six heures dix du soir)
......   dix-huit heures cinquante (sept heures moins dix du soir)
LA NUIT
......   minuit

S'informer sur un horaire

 3. Écoutez les messages enregistrés. Associez chaque message à une partie du document *Aix-en-Provence pratique*.
N° 40

4. Dites si les phrases suivantes sont vraies ou fausses.
a. Le restaurant *Côté cour* est ouvert à 15 h.
b. Il y a deux séances en version originale du film *Lucy*.
c. Le musée Granet est gratuit un jour par mois.
d. En été, le musée Granet ferme à 19 h.

 5. Interrogez votre voisin(e).

a. À quelle heure ouvre la BNP le matin ?
b. À quelle heure la banque ferme le mercredi soir ?
c. À quelle heure commence la séance du film *Les garçons et Guillaume à table* ?
d. Vers quelle heure elle finit ?
e. À quelle heure commence le cours de français ?
f. À quelle heure il finit ?
g. À quelle heure vous commencez à travailler le matin ? À quelle heure vous finissez ?
h. Quelle heure est-il maintenant ?

Apprenons à conjuguer...

LES VERBES COMMENCER, FERMER, OUVRIR
Ils se conjuguent au présent comme *parler*.
Commencer → je commence, tu ...
Fermer → je ferme, tu ...
Ouvrir → j'ouvre, tu ...

LE VERBE FINIR
• Complétez la conjugaison.

FINIR	
je finis	nous finissons
tu ...	vous ...
il / elle ...	ils / elles ...

À l'heure, en avance, en retard

 **6. Par deux ou trois, préparez et jouez les scènes suivantes.**

Ils ont rendez-vous pour la séance de cinéma de 20 h. Il arrive en retard.

Ils sont en avance. Que faire ?

Le son [œ]

a. Répétez. Attention aux enchaînements. N° 41
deux heures – trois heures – six heures – dix heures – sept heures – huit heures – une heure – quatre heures – cinq heures

b. Distinguez [œ], [ɔ] et [ø].
Écoutez et cochez. N° 42

	[œ]	[ɔ]	[ø]
1. Huit heures	✗		
2. ...			

 Point infos

LES HORAIRES EN FRANCE

Généralement, les Français déjeunent entre 12 h et 13 h 30. Ils dînent entre 19 h et 20 h 30. Les magasins sont souvent ouverts de 10 h à 19 h du lundi au samedi. Les banques sont ouvertes de 9 h à 17 h du lundi au vendredi.
Les enfants vont à l'école le lundi, le mardi, le jeudi, le vendredi de 8 h 30 à 11 h 30 et de 13 h 30 à 16 h 30 et le mercredi matin.

Pour s'exprimer

• Le musée ouvre à... La séance de cinéma est à ...
• être en retard – être à l'heure – être en avance
• désolé – excuse-moi...
• Qu'est-ce que nous faisons ? – Nous attendons. – Nous allons voir un autre film ? – Nous allons au café ?

Unité 3 - Leçon 3 - Prendre de nouvelles habitudes

A J E F
Accueil des jeunes étrangers dans une famille française

| Accueil | Programme | Votre Profil | Contactez-nous |

Questionnaire de goûts et de préférences

Nom : .... Âge : .... Nationalité : ....

Vous aimez...	un peu	beaucoup	pas du tout
• les enfants	❑	❑	❑
• les animaux	❑	❑	❑
• les repas en famille :			
le petit déjeuner	❑	❑	❑
le dîner	❑	❑	❑
• les sorties en famille :			
le cinéma	❑	❑	❑
le théâtre	❑	❑	❑
les concerts	❑	❑	❑
• les rencontres avec les amis de la famille	❑	❑	❑

(Valider)

Exprimer ses goûts et ses préférences

1. Complétez le questionnaire AJEF.

2. Associez chaque phrase à un dessin.
Goûts musicaux
a. J'aime bien le rap.
b. J'aime beaucoup la musique électronique.
c. Je n'aime pas du tout l'opéra.
d. Je n'aime pas beaucoup la musique classique.
e. J'aime un peu les chansons françaises.
f. J'adore le rock.

3. Écrivez.
Vous allez passer un mois dans une famille française. Répondez à leur courriel.

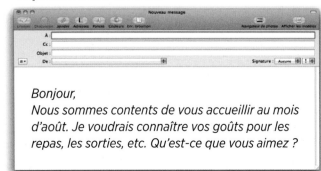

Bonjour,
Nous sommes contents de vous accueillir au mois d'août. Je voudrais connaître vos goûts pour les repas, les sorties, etc. Qu'est-ce que vous aimez ?

S'habituer à un mode de vie différent

 4. Regardez ou écoutez la séquence 8. Associez les extraits et les scènes de l'épisode.

5. Dites si les phrases suivantes sont vraies ou fausses.
a. Mélanie et madame Dumas aiment la série *Plus belle la vie*.
b. Ludovic ne peut pas regarder le film à la télé.
c. D'habitude, Greg prend sa douche le matin.
d. Mélanie et Greg voudraient prendre leur douche le soir.
e. D'habitude, le matin, Ludovic prend un bon petit déjeuner.
f. Madame Dumas fait des confitures avec les fraises et les cerises de son jardin.

Villa Marie-Claire — Des habitudes différentes

N° 08

N° 43

1. Madame Dumas : Monsieur Dubrouck, vous avez de la confiture de fraises.
Ludovic : Non merci. Je n'ai pas très faim.

2. Madame Dumas : Désolée, il est huit heures et quart. Je voudrais voir *Plus belle la vie*.

3. Mélanie : Ah, non ! Toi, tu prends ta douche le matin ou alors, tu attends.

6. Répondez.
a. La série *Plus belle la vie* **c'est à quelle heure ?**
b. À quelle heure Ludovic travaille demain ?
c. Qui est dans la salle de bain ?
d. Quand Greg prend sa douche ?
e. Qu'est-ce que Ludovic prend au petit déjeuner ?

Posez d'autres questions sur la scène. Utilisez les mots en gras.

7. Quelles sont vos habitudes ? Demandez à votre voisin(e).
a. Vous écoutez les émissions politiques à la télé ?
b. Vous lisez un livre par mois ?
c. Vous apprenez des langues étrangères ?
d. Vous avez faim à 11 h du matin ?
e. Vous déjeunez au restaurant ?
f. Vous prenez un dessert à la fin du repas ?
g. Vous attendez la fin du repas pour regarder votre téléphone portable ?
h. Vous prenez une tisane avant de vous coucher ?
i. Vous écrivez à vos amis pour le jour de l'An ?
j. Vous comprenez votre frère, votre sœur ?

Apprenons à conjuguer...

PRENDRE, *APPRENDRE* ET *COMPRENDRE*
• **Complétez les conjugaisons.**

PRENDRE	
je prends	nous prenons
tu ...	vous ...
il / elle prend	ils / elles prennent

COMPRENDRE	APPRENDRE
je comprends	j'apprends
tu ...	...

Le son [ɑ̃]

a. Distinguez [ɑ̃] et [a].
Écoutez et répétez.
Sur la photo
C'est ta tante ? ...
N° 44

b. Distinguez [ɑ̃] et [ɔ̃].
Écoutez et répétez.
Voyage
Nous venons de Dinan...
N° 45

FORUM LOISIRS

se connecter

SUJET : le dimanche, vous faites quoi ?

Fleur 30
25/11/2015
15h35

Salut à tous,
J'ai 25 ans. Mon ami aussi. Et comme tous les dimanches on s'ennuie. Nous nous levons tard. On regarde des séries télé toute la journée. C'est vrai, quand il fait beau on se promène sur la côte ou on fait du roller à Bordeaux. Mais bon, c'est pas génial. Et vous, le dimanche, vous faites quoi ? Vous avez des idées ?

Pollux
25/11/2015
17h11

Fleur 30, je ne suis pas d'accord avec toi. Le dimanche, c'est formidable. Moi, je me lève à 9 heures. Je fais un tennis. L'après-midi, je vais au ciné avec ma copine...

Diva
25/11/2015
15h59

Moi, j'habite en Belgique. Dans mon pays, tout est ouvert le dimanche. Alors le matin, on fait ses courses et l'après-midi, on va au match ou au cinéma ou on va au café...

Jul
25/11/2015
19h23

Moi, tu vois, le samedi soir je sors. Je me couche à 3 ou à 4 heures du matin. Alors, le dimanche, je me réveille dans l'après-midi, petit brunch avec ma copine. Puis, je travaille mes cours du lundi.

Raconter sa journée

1. Lisez le Forum Loisirs. Associez les phrases suivantes à un membre du forum.
a. Il aime faire la fête.
b. Elle n'habite pas en France.
c. Elle habite avec un compagnon.
d. Il aime les dimanches.

2. a. Relevez les activités de la journée. Classez-les.

Le matin
je me réveille   se réveiller
nous nous levons   ....
....

L'après-midi
....

Le soir
....

b. Complétez la liste avec les activités suivantes :
aller travailler – déjeuner – dîner – prendre sa douche – prendre son petit déjeuner – rentrer du travail.

Réfléchissons... La conjugaison pronominale

• Observez la conjugaison pronominale des verbes (en gras). Comparez les deux phrases. Mimez les actions.
a. Pierre promène son chien.
Pierre **se promène**.
b. Je réveille mon frère.
Je **me réveille**.
c. Pierre lève la main.
Pierre **se lève**.
d. Marie couche son bébé.
Marie **se couche**.

• Choisissez la bonne forme.
a. Pierre (s'appelle / appelle) sa fille.
b. Nous (nous promenons / promenons) dans la campagne.
c. Le dimanche, tu (te lèves / lèves) tard ?

3. a. À quoi correspond *on* dans les phrases suivantes ?
On = nous ? On = ils / elles ? On = les gens ?
1. En Espagne, on déjeune tard.
2. En été, mon compagnon et moi, on va dans les Alpes.
3. « Ici, on parle anglais. »
4. On fait quoi dimanche ?

b. À quoi correspond *on* dans les messages de Fleur 30 et de Diva du Forum Loisirs.

4. Mettez les verbes à la forme qui convient.
La journée d'une chanteuse
« Nous, les artistes, nous *(se coucher)* tard et nous *(se lever)* tard aussi. Moi, je ne *(se réveiller)* pas avant une heure de l'après-midi. Le soir, je vais à la salle de spectacle une heure et demie avant le concert. Les musiciens *(préparer)* la sono. Moi aussi, je *(se préparer)*. On *(répéter)* un peu. Après le spectacle, je vais dîner avec les musiciens. On ne *(s'ennuyer)* pas. »

Yelle, chanteuse de musique électro-pop en concert.

5. Écrivez. Répondez à la question du forum.

Le [ə]

Répétez. Remarquez les « e » non prononcés.
Le samedi, j'appelle Emeline.
Nous appelons Jacqueline.
Nous regardons la télévision.
Puis, nous nous promenons boulevard Saint-Michel.

 N° 46

Apprenons à conjuguer...

LA CONJUGAISON PRONOMINALE
• **Complétez.**
– **Verbes commençant par une consonne :**

SE COUCHER	
je me couche	nous nous ...
tu te couches	vous vous ...
il / elle se ...	ils / elles se ...

– **Verbes commençant par une voyelle :**

S'ENNUYER	
je m'ennuie	nous nous ennuyons
tu t'...	vous vous ...
il / elle s'...	ils / elles s'ennuient

Présenter un emploi du temps

 N° 47

6. Écoutez. Margot travaille chez Renault. Simon interroge Margot sur son emploi du temps de vendredi et de samedi. Complétez l'agenda.

Avril

VENDREDI 10	SAMEDI 11
8 h	8 h
9 h	9 h
10 h *réunion*	10 h ....
11 h *nouveau projet*	11 h ....
12 h	12 h
13 h	13 h ....
14 h	14 h
15 h	15 h
16 h	16 h ....
17 h *pot de départ de*	17 h
18 h *Jean*	18 h
19 h	19 h ....
20 h	20 h
21 h	21 h

ⓘ Point infos

LE DIMANCHE EN FRANCE

Le dimanche, les bureaux et beaucoup de magasins sont fermés sauf à Paris. Mais beaucoup de Français voudraient voir plus de magasins ouverts. Le matin, il y a des marchés en plein air et des vide-greniers.
Les jeunes se lèvent tard. Ils se retrouvent chez des amis ou au café pour un brunch. Puis, ils vont au cinéma ou faire du sport.
Le dimanche est le jour des déjeuners en famille ou avec des amis. On va chez les parents, les grands-parents ou au restaurant. Après le déjeuner, on va se promener en ville, à la campagne ou à la plage.

Dans cette leçon, vous allez présenter les membres d'une famille.

Vous pouvez choisir :

- votre famille ;
- une famille célèbre (ex : la famille royale d'Angleterre) ;
- une famille imaginaire.

Les Français adorent la série télévisée
Fais pas ci ! Fais pas ça ! Portrait de deux familles célèbres :
les Lepic et les Bouley.

LES LEPIC

Ils habitent à côté des Bouley. Les deux familles sont amies.

Renaud Lepic, le père, a 48 ans. Il est cadre dans une petite entreprise et il aime son travail.

Fabienne Lepic, la mère, a 44 ans. Elle travaille à la mairie et fait de la politique. Fabienne et Renaud ont un fils : Christophe. Il a 23 ans. C'est un étudiant cool et sympathique mais il ne travaille pas. Il habite dans un appartement avec Tiphaine, la fille de Valérie Bouley.

Sa sœur, Soline, est intelligente et travailleuse. Elle a 22 ans et fait des études supérieures. Elle est amoureuse de son jeune professeur de mathématiques.

Il y a aussi Charlotte, une lycéenne de 18 ans et le dernier de la famille, c'est Lucas, 8 ans. Tous les enfants Lepic ont une éducation traditionnelle.

LES BOULEY

Valérie Bouley est une femme moderne et dynamique. À 44 ans, elle arrête son travail dans la communication pour faire des études de journalisme.

Elle a trois enfants : Tiphaine, d'un premier mari, et Eliott (15 ans) et Salomé (2 ans) avec Denis.

Denis Bouley a 42 ans. Il aime la liberté. D'abord chanteur, puis photographe et écrivain, il est maintenant coach.

Tiphaine, 22 ans, habite avec Christophe, le fils Lepic. Le jeune couple a un enfant : Kim.

Eliott est un jeune lycéen de 15 ans. Il s'intéresse beaucoup aux filles.

1 Observez la présentation d'une famille.

1. Lisez le document. Choisissez les bonnes réponses.
Le document parle...
a. d'une famille.
b. de deux familles voisines.
c. d'un film.
d. de deux familles différentes.

2. La classe se partage les deux familles. Pour chaque famille :
a. Présentez les membres de la famille sous forme d'arbre généalogique.
b. Pour chaque personnage, indiquez le nom, le prénom, l'âge, la profession ou l'activité, le caractère.

3. Chaque groupe présente sa famille.

4. Vérifiez votre compréhension. Dites si les phrases suivantes sont vraies ou fausses.
a. La famille Lepic a quatre enfants.
b. Soline et son frère Christophe ont des caractères différents.
c. Christophe habite chez ses parents.
d. Denis Bouley est le père de Tiphaine.
e. Denis Bouley est le premier mari de Valérie.
f. Valérie Bouley travaille.

2 Faites l'arbre généalogique de votre famille.

5. Choisissez votre famille.
Voir la présentation du projet en haut de la page 56.

6. Indiquez les relations entre les personnes.
Exemple : *Pierre Martin, le mari de Noémie et le père de Clara.*

Vocabulaire
page 59

3 Écrivez la présentation de vos personnages.

7. Pour chaque personnage, indiquez :
- le nom ;
- le prénom ;
- la situation de famille : *il est célibataire...* ;
- la date de naissance ;
- la profession ou l'activité : *elle est avocate...* ;
- les goûts et les intérêts : *il aime... il s'intéresse à... elle n'aime pas...* ;
- le caractère : *elle est intelligente, travailleuse, dynamique...*

4 Présentez votre famille à la classe.

Nom : LAFORÊT
Prénom : Jules
Situation de famille : marié, six enfants
Date de naissance : 1er avril 1970
Profession : photographe
Goûts et intérêts : Il aime la nature, les voyages, le rugby et les œufs au plat. Il s'intéresse à la généalogie.
Caractère : Il est intelligent et pratique. Il aime plaisanter.

EXPRIMER LA POSSESSION

• Avec la préposition *de*

C'est le livre
- **de** Pierre.
- **du** professeur.
- **de la** sœur de Marie.
- **des** étudiants.

• Avec l'adjectif possessif : C'est **son** livre.

LES ADJECTIFS POSSESSIFS (UN SEUL POSSESSEUR)				
Personne qui possède	Masculin singulier	Féminin singulier	Féminin singulier devant voyelle ou *h*	Pluriel
je	mon livre	ma maison	mon amie	mes parents
tu	ton livre	ta maison	ton amie	tes parents
vous	votre livre	votre maison	votre amie	vos parents
il / elle	son livre	sa maison	son amie	ses parents

DEMANDER

• **Je voudrais** un café, s'il vous plaît.
Vous avez un dictionnaire anglais-français ?
Il y a un bon restaurant, ici ?

• **Je voudrais** aller au cinéma avec toi.
Je peux aller au cinéma avec toi ?

EXPRIMER SES GOÛTS ET SES PRÉFÉRENCES.

☹ je n'aime pas du tout,
☺ je préfère...
☺ j'aime...
😀 j'aime bien...
😄 j'aime beaucoup...

EXPRIMER L'HEURE ET LA FRÉQUENCE

Le matin	10:00 dix heures (du matin) 10:10 dix heures dix 10:15 dix heures et quart 10:30 dix heures et demie 12:00 midi
L'après-midi	12:45 une heure moins le quart 13:00 une heure (de l'après-midi)
Le soir	17:40 six heures moins vingt 18:00 six heures (du soir)
La nuit	00:00 minuit

• Quelle heure est-il ? Il est quelle heure ?

• un jour – une heure – une minute – une seconde
• arriver / être ... à l'heure – en avance / en retard
• Elle arrive tôt. / Elle arrive tard.
• Le spectacle commence à 20 heures.
  Il finit à 23 heures.
• La banque ouvre à 9 heures et elle ferme à 18 heures.
• tous les jours - chaque mois...

LA CONJUGAISON PRONOMINALE

La conjugaison pronominale donne souvent au verbe un sens réfléchi.
ex : Il regarde un film. / Il **se** regarde dans la glace (sens réfléchi = lui-même).

Elle peut aussi changer le sens du verbe.
ex : Elle appelle son fils. / Elle s'appelle Noémie (= son nom).

• L'interrogation
Il se lève tôt demain ?

• La négation
Non, il ne se lève pas tôt.

• La conjugaison

Se lever	S'appeler
je me lève	je m'appelle
tu te lèves	tu t'appelles
il / elle se lève	il / elle s'appelle
nous nous levons	nous nous appelons
vous vous levez	vous vous appelez
ils / elles se lèvent	ils/ elles s'appellent

LA CONJUGAISON DES VERBES

• Les verbes en -er
de type *se lever*, *se promener*, *s'appeler* → son [ə] aux formes *nous* et *vous*.

Se promener
je me promène
tu te promènes
il / elle se promène
nous nous promenons
vous vous promenez
ils / elles se promènent

• Les autres verbes

Avoir	Faire	Finir	Prendre	Attendre
j'ai	je fais	je finis	je prends	j'attends
tu as	tu fais	tu finis	tu prends	tu attends
il / elle a	il / elle fait	il / elle finit	il / elle prend	il / elle attend
nous avons	nous faisons	nous finissons	nous prenons	nous attendons
vous avez	vous faites	vous finissez	vous prenez	vous attendez
ils / elles ont	ils / elles font	ils / elles finissent	ils / elles prennent	ils / elles attendent

DÉCRIRE LA FAMILLE

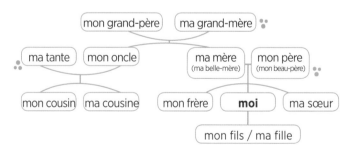

- le couple : la femme (la compagne) – le mari (le compagnon)
- la situation de famille : célibataire, en couple, marié(e), divorcé(e)

PARLER DES ACTIVITÉS QUOTIDIENNES

Le matin (la matinée)	La journée	Le soir (la soirée)
se réveiller se lever se laver – prendre une douche prendre le petit déjeuner aller travailler	déjeuner travailler rentrer du travail faire des courses	dîner regarder la télévision sortir (aller au cinéma, aller voir un spectacle) se coucher

1. EXPRIMER LA POSSESSION

Complétez.

Léa est dans une école de langue à Madrid. Elle montre des photos à une amie.

Léa : Voici ...... maison avec ...... père et ...... compagne Lidia.

Jessica : Et les enfants, là, ce sont ...... frères et ...... sœurs ?

Léa : Ce sont ...... cousins et à droite la fille de Lidia.

Jessica : ...... père et ...... mère sont divorcés ?

Léa : Oui. Maintenant ...... mère est mariée avec un Italien. ...... mari est très sympa.

2. LA FAMILLE

Trouvez la relation familiale

a. La mère de mon père, c'est *ma grand-mère.*

b. Le père de ma mère, c'est ......

c. Le frère de mon père, c'est ......

d. La fille de ma tante, c'est ......

e. Le mari de ma mère, c'est ...... ou ......

f. La mère de ma cousine, c'est ......

3. DIRE L'HEURE

Exprimez l'information par une phrase.
Dites l'heure de façon familière

a. Rendez-vous chez le médecin : 14 h 15.

b. Arrivée du train : 10:05

c. Services administratifs de l'université : ouverture de 9 h 30 à 16 h 45.

d. Film *The Artist*. Séance mercredi et vendredi à 17 h 40.

4. EXPRIMER SES GOÛTS ET SES PRÉFÉRENCES

 Olivier parle de ses goûts.
N° 48 **Notez ses préférences.**

	Sujets
Olivier aime un peu...	...
Il aime beaucoup...	...
Il n'aime pas beaucoup...	...
Il n'aime pas du tout...	...

5. LES ACTIVITÉS QUOTIDIENNES

Remettez dans l'ordre chronologique la journée de Li Na.

a. Elle va travailler.

b. Elle fait des courses.

c. Elle se réveille.

d. Elle rentre chez elle.

e. Elle se lève.

f. Elle se couche.

g. Elle va dîner avec des amis.

h. Elle prend une douche.

i. Elle prend son petit déjeuner.

j. Elle sort du bureau.

 N° 49
6. PRÉSENTER UN EMPLOI DU TEMPS

Notez l'emploi du temps du week-end de Sarah.

Samedi	Dimanche
08h00 _____	08h00 _____
09h00 _____	09h00 _____
10h00 _____	10h00 _____
11h00 _____	11h00 _____
12h00 _____	12h00 _____
13h00 _____	13h00 _____
14h00 _____	14h00 _____
15h00 _____	15h00 _____
16h00 _____	16h00 _____
17h00 _____	17h00 _____
18h00 _____	18h00 _____
19h00 _____	19h00 _____
20h00 _____	20h00 _____
21h00 _____	21h00 _____

7. DEMANDER

Imaginez la suite de ces demandes.

a. *Au café :* Je voudrais...

b. *En classe :* Est-ce que je peux... ?

c. *À la bibliothèque :* Est-ce que vous avez... ?

d. *Un touriste à un habitant :* Est-ce qu'il y a... ?

e. *À un ami :* Est-ce que tu as... ?

PARTICIPER
À UNE SORTIE

1 **FAIRE UN PROJET DE SORTIE**
- Parler du futur
- Rapporter des paroles

3 **FAIRE FACE À UN PROBLÈME**
- Comprendre un problème
- Donner un ordre, un conseil
- Exprimer son accord
- Exprimer un problème

2 **RÉPONDRE À UNE INVITATION**
- Inviter quelqu'un
- Accepter ou refuser une invitation – s'excuser

4 **FAIRE UN PIQUE-NIQUE**
- Comprendre un menu
- Parler de nourriture

PROJET

FAIRE UN PROGRAMME DE SORTIE
- Comprendre un programme d'activités de loisirs
- Faire un programme de sortie avec des amis

Parler du futur

1. Lisez les SMS. Complétez le tableau.

	Hugo	Renaud
Où il est ?	à ...	...
Qu'est-ce qu'il va faire ?	déjeuner avec une amie ...	...

2. Ils parlent du futur. Mettez l'expression entre parenthèses au futur proche.

a. Pierre ne comprend pas le texte.
Il *(demander une explication au professeur)*.
b. Nous ne travaillons pas vendredi.
Nous *(voir une exposition)*.
c. L'année prochaine, je vais travailler en Pologne.
Je *(apprendre le polonais)*.
d. Elle adore la musique rock. Samedi, elle *(écouter le groupe Phoenix)*.
e. Je ne connais pas l'Espagne.
L'été prochain, je *(aller en Espagne)*.

Réfléchissons... Le futur proche

- **Dans les SMS, remarquez les phrases où on parle :**
  – du présent ;
  – du futur.

- **Observez la construction du futur proche.**

- **Complétez les phrases.**
  a. Cet après-midi, Hugo ... voir une pièce de théâtre.
  b. Ce soir, les amis de Renaud ... préparer un plat péruvien.
  c. Aujourd'hui, je travaille. Demain, c'est samedi. Je ... faire du sport.

(i) Point infos

LES SORTIES DES JEUNES

Pour 90 % des jeunes Français de 15 à 30 ans, le cinéma est la sortie principale. Les concerts viennent en deuxième position (40 %) : concert de musique électronique, de rap ou de rock. Enfin, on sort aussi pour aller en soirée, en boîte ou pour faire la « teuf ». Toutes les occasions sont bonnes : un moment de l'année (carnaval, la fête de la musique), une soirée chez des amis pour un anniversaire, un examen, les vacances ou une fête de groupe improvisée.

Villa Marie-Claire

Projet de sortie

N° 9

N° 50

a

b

Rapporter des paroles

3. Regardez ou écoutez le début de la séquence.
a. Complétez le dialogue.
Greg : Samedi soir, ...
Mélanie : ...
Greg : Je ... le groupe Phoenix. ... ?
Mélanie : ...
b. Imaginez la suite de la scène.

**4. Retrouvez le dialogue au téléphone
entre Mélanie et Ludovic.**

Mélanie : Ludo ? C'est Mélanie.
Ludovic : ...

5. Regardez ou écoutez la scène en entier.
Complétez l'histoire.

 Outils
page 73

Samedi soir, Greg veut...
Il demande à Mélanie si...
Mélanie dit qu'elle...
Au téléphone, Mélanie
demande à Ludovic si...

Ludovic répond qu'il...
Il demande...
Greg et Mélanie disent
à Ludovic...

Les sons [v] et [f]

N° 51

• **Répétez.**
– Vous êtes fatigué... Vous devez faire une pause...
Vous voulez faire quoi ?
– Faire du vélo... Visiter la Finlande... Voir la foire
du Trône... Voyager en Floride...

N° 52

**6. Écoutez. Vous recevez un appel
téléphonique. Rapportez les paroles
à votre voisin(e).**

« *Bonjour. Je m'appelle Romain Dumas.* »
→ *Il dit qu'il s'appelle Romain Dumas.*

 **7. Par groupe de trois étudiants (A, B et C),
préparez et jouez la scène suivante.**

A invite B à faire une activité. B est d'accord. B téléphone
à C pour savoir s'il veut venir.

Apprenons à conjuguer...

• **Complétez.**

SAVOIR	CONNAÎTRE
je sais, tu ...	je connais, tu ...
il / elle ...	il / elle connaît
nous savons, vous ...	nous connaissons, vous ...
ils / elles ...	ils / elles ...

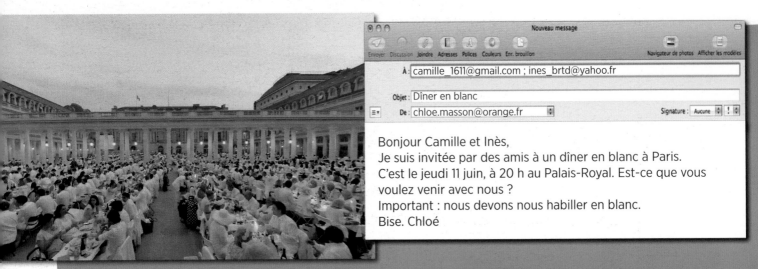

À : camille_1611@gmail.com ; ines_brtd@yahoo.fr

Objet : Dîner en blanc

De : chloe.masson@orange.fr
Signature : Aucune

Bonjour Camille et Inès,
Je suis invitée par des amis à un dîner en blanc à Paris.
C'est le jeudi 11 juin, à 20 h au Palais-Royal. Est-ce que vous voulez venir avec nous ?
Important : nous devons nous habiller en blanc.
Bise. Chloé

À : soufiane.saidi@gmail.com

Objet : Vacances sportives

De : vincent_dubois@gmail.com
Signature : Aucune

Salut Soufiane !
Avec des copains de mon école de commerce, nous louons
un grand chalet dans les Alpes, les deux dernières semaines de juin.
Nous sommes 15 et il y a une place pour toi.
On va faire de la randonnée, du VTT et du canyoning.
Est-ce que tu as envie de venir ?
Réponds-moi vite,
Vincent

Inviter quelqu'un

1. Partagez-vous les deux messages.
Pour chaque message, précisez :
a. Qui écrit. **b.** À qui. **c.** Pourquoi.

 2. Travaillez en deux groupes.
Camille rencontre un ami.

Groupe A. Complétez le dialogue.
Camille : Je suis invitée à...
L'ami : Par qui ?
Camille : ...
L'ami : Quand ?
Camille : ...
L'ami : Où ?
Camille : ...
L'ami : Qu'est-ce que vous allez faire ?
Camille : ...
L'ami : C'est avec des amis ?
Camille : ...

Groupe B. Remplacez Camille par Soufiane.
Complétez le dialogue.
Soufiane : Je suis invité à...

3. Quelle activité de loisir est-ce qu'on peut faire ?
Utilisez les mots de l'encadré.
a. En été, à la mer ?
b. En hiver, à la montagne ?
c. Dans un stade ?
d. À la maison ?
e. Dans la rue ?
f. Dans le jardin ?
g. Dans un théâtre ?

un concert	la peinture
la danse	le skate
le football	un spectacle
la gymnastique	le ski
la musique	le tennis de table
la natation	le vélo

 4. Écrivez un message pour inviter votre voisin(e) :

– présentez la raison de l'invitation : spectacle, anniversaire, sortie, etc. ;
– indiquez la date et le lieu ;
– rédigez une phrase pour inviter.

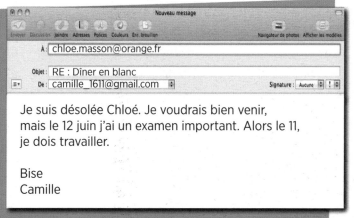

Nouveau message

À : chloe.masson@orange.fr
Objet : RE : Dîner en blanc
De : camille_1611@gmail.com   Signature : Aucune

Je suis désolée Chloé. Je voudrais bien venir,
mais le 12 juin j'ai un examen important. Alors le 11,
je dois travailler.

Bise
Camille

Nouveau message

À : chloe.masson@orange.fr
Objet : RE : Dîner en blanc
De : ines_brtd@yahoo.fr   Signature : Aucune

Bonsoir Chloé. J'accepte ton invitation avec plaisir.
Je suis très contente de
venir. Est-ce que mon
copain Bilal peut venir
aussi ? Comment on
fait pour le repas ?
Qu'est-ce que nous
devons apporter ?
J'attends ta réponse.

Inès

Réfléchissons... Parler d'une activité

• **Observez les constructions avec le verbe *faire* et avec les autres verbes. Complétez les autres phrases.**

Une femme active

Julie est ingénieure. Elle fait **de l**'informatique.
Après sa journée de travail, elle fait **de la** danse.
Elle adore **la** danse moderne.
Le samedi, elle fait **du** tennis et **de la** natation.
Elle aime beaucoup **le** tennis.
En hiver, elle fait ... ski. Elle adore ... montagne.
En été, son ami fait ... randonnée. Elle préfère ... VTT.

Apprenons à conjuguer...

• **Complétez.**

VOULOIR	
je veux	nous voulons
tu ...	vous ...
il / elle veut	ils / elles veulent

N.B. : forme de politesse : je voudrais

POUVOIR	DEVOIR
je peux	je dois
tu ... (comme *vouloir*)	tu ...
	il / elle doit
	nous devons
	vous ...
	ils / elles doivent

Accepter ou refuser une invitation – s'excuser

5. **Partagez-vous les messages de Camille et d'Inès. Rapportez ce qu'elles disent.**
Camille répond à...   Elle dit que...

6. **Complétez le dialogue avec une expression du tableau.**
Marie : Le week-end prochain,
on va faire du ski. (...)
Louis : (...). Je ne sais pas skier.
Marie : Toi, Vincent, tu sais skier. (...)
Vincent : Désolé. Mon cousin
de Bretagne se marie. (...)

> Je dois être à Rennes.
> Tu peux venir ?
> Je ne peux pas venir.
> Tu veux venir ?

7. **En petit groupe, imaginez une réponse au message de Vincent (p. 64).**

8. **Répondez au message d'invitation de votre voisin(e) (voir exercice 4) :**
– remerciez de l'invitation ;
– dites si vous acceptez ou si vous refusez ;
– expliquez votre décision.

Les sons [œ] et [ø]

a. Répétez.   N° 53
Je v**eu**x faire la fête.
Mais ils ne v**eu**lent pas.
Je v**eu**x voyager.
Mais ils ne p**eu**vent pas.

Les sons [s] et [z]

b. Répétez.   N° 54
Qu'est-**ce** que nous fai**s**ons **ce s**oir ?
Nou**s** appelons **S**abine et **Z**oé ?
Nou**s** allons danser ?
Nou**s** écoutons des chan**s**ons ?
Ou nous re**s**tons devant la télévi**s**ion ?

Villa Marie-Claire | **Coup de fatigue**

N° 10   N° 55

1. **Greg :** Il y a un problème ?
2. **Mélanie :** ...Tu as envie de rester ?
   Ludovic : Non.
   Mélanie : Moi non plus. On rentre ?
3. **Li Na :** Ça ne va pas ?
   Ludovic : Pas très bien... Je suis fatigué... J'ai mal à la tête...
   Li Na : Repose-toi un peu !

Comprendre un problème

**1. Regardez ou écoutez la séquence 10.
Associez les extraits et les photos.**

2. Choisissez la bonne suite.
a. Ludovic sort de la salle de spectacle.
1. Le spectacle est fini.
2. Il est fatigué.

b. Li Na dit à Ludovic...
1. de se reposer.
2. de rentrer dans la salle de spectacle.

c. Mélanie sort de la salle...
1. avant Li Na.
2. après Li Na.

d. Ludovic ne se sent pas bien.
1. Il a froid.
2. Il a mal à la tête.

e. Li Na veut...
1. partir avec Mélanie et Ludovic.
2. rester avec Greg.

f. Greg n'est pas content.
1. Il s'inquiète pour Ludovic.
2. Il veut écouter le concert.

Les sons [k] et [g]

• **Répétez.**
Quatre **c**ours de **g**rammaire
Et de **c**onju**g**aison...
Quatre heures ! **Qu**el programme !
Kévin est fati**gu**é et vous vous in**qu**iétez...
Croyez-moi : ce n'est pas **g**rave !

N° 56

Donner un ordre, un conseil

3. Donnez des ordres comme dans l'exemple.
Conseils avant une sortie
a. Nous devons nous lever tôt. → *Levons-nous tôt !*
b. Tu dois te coucher tôt. → ...
c. Vous devez préparer votre sac. → ...
d. Vous devez arriver à l'heure au rendez-vous. → ...
e. Tu dois prendre un bon petit déjeuner. → ...

Exprimer son accord

Réfléchissons... **Exprimer son accord**

• Observez.

Elle est d'accord.	Elle n'est pas d'accord.
Je suis d'accord.	Je ne suis pas d'accord.
Tu es fatigué. **Moi aussi.**	Tu es fatigué. **Moi non.**
Elle ne veut pas rester. **Moi non plus.**	Elle ne veut pas rester. **Moi si.**

Exprimer un problème

5. Qu'est-ce qu'ils disent dans les situations suivantes ? Complétez avec une expression de l'encadré.
a. Il est 20 h. Le jeune fils de Sophie n'est pas à la maison.
b. C'est l'hiver. Julie n'est pas très habillée.
c. Pedro ne comprend pas un mot français.
d. Il fait très chaud dans la pièce.
e. Après une longue journée de travail.

Réfléchissons... **L'impératif**

Pour donner un ordre, un conseil
• **Complétez avec les ordres donnés dans la séquence 10.**

	Conjugaison simple	Conjugaison pronominale (de type *se lever*)
Ordre ou conseil affirmatif	Écoute ! Écoutons ! Écoutez !	... Reposons-nous ! Reposez-vous !
Ordre ou conseil négatif	N'écoute pas ! N'écoutons pas ! N'écoutez pas !	... Ne nous inquiétons pas ! Ne vous inquiétez pas !

4. Remplacez les phrases en italique par *oui, si, non, moi aussi, moi non plus, elle non plus*.
– Tu vas au concert ?
– *Je vais au concert.* → *Oui.*
– Et toi, Pauline ?
– *Je vais au concert.*
– Et toi, Nathan ?
– *Je ne vais pas au concert.*
– Tu n'aimes pas le groupe Phoenix ?
– *J'aime le groupe Phoenix.* Mais je ne suis pas libre samedi.
– Et toi, Lucas ?
– *Je ne suis pas libre.*
– Et Noémie ?
– *Elle n'est pas libre.*

1. Qu'est-ce que ça veut dire ?
2. J'ai froid.
3. Je ne me sens pas bien.
4. Je suis fatigué(e).
5. Je m'inquiète.

 6. Jeu de rôles. Préparez et jouez la scène.

Il voudrait sortir mais elle n'a pas envie. Elle cherche des excuses. Aidez-vous des expressions utilisées dans la séquence vidéo.

Sandwich à la carte
Faites vous-même votre sandwich !

Tous nos produits sont frais et bio !

1 Choisissez votre pain.
> pain de mie
> pain de campagne
> baguette tradition

2 Choisissez votre viande ou votre poisson.
> steak haché
> poulet
> jambon
> bacon
> thon
> bœuf
> saucisson
> pâté
> saumon

3 Avec quels accompagnements ?
> tomates
> olives
> concombres
> pommes de terre
> champignons
> oignon
> frites
> salade

4 Du fromage ?

5 Avec quelle sauce ?
> mayonnaise
> moutarde
> sauce tomate
> vinaigrette

6 Un petit dessert ?
> gâteau au chocolat
> tarte aux pommes
> salade de fruits
> glace (chocolat, vanille, fraise)

7 Une boisson ?
> eau minérale
> bière
> coca
> limonade

Menu à 4 euros
sandwich + dessert + boisson

[Le sandwich du jour]
préparé par le chef : **5 euros**

Aujourd'hui, le sandwich grec : du pain oriental, des morceaux de poulet, quelques feuilles de salade, des tranches de tomate, de l'oignon, de la féta, des olives et de la sauce au yaourt.
+ une barquette de frites
+ une boisson au choix

Comprendre un menu

 1. Lisez le document en petit groupe. Chacun compose son sandwich. Présentez votre sandwich.

2. Cherchez le mot intrus. Indiquez pourquoi.
Exemple : a. la tomate : ce n'est pas de la viande.
a. le poulet – la tomate – le bœuf – le jambon
b. un gâteau – une tarte – de la glace – de la vinaigrette
c. le thon – le saumon – la moutarde – les moules
d. le jambon – les champignons – les tomates – les pommes de terre
e. le jambon – le bœuf – le saucisson – le pâté de porc

3. Qu'est-ce que vous choisissez pour faire :
a. un sandwich végétarien ?
b. un sandwich américain (hamburger) ?

Rythme de la phrase négative

• **Répondez négativement.**
Un homme au régime N° 57
– Il mange beaucoup ?
– Non, il ne mange pas beaucoup.
– Il boit du vin ?
...

Parler de nourriture

4. Complétez avec un article.

Recette

Pour le repas de midi, je fais une salade avec ... salade verte, ... tomates, ... œufs, ... jambon, ... olives et ... vinaigrette.

À l'apéritif

– Qu'est-ce que tu veux boire ? J'ai ... bière, ... coca et ... jus d'orange.

– Je n'aime pas ... bière. Je vais prendre ... coca.

5. Complétez les réponses. Imaginez une suite au dialogue.

Un enfant difficile

Le père : Tu prends de la salade ?
L'enfant : Non, je ne prends pas de salade.
Le père : Tu aimes les champignons ?
L'enfant : Non, ...
Le père : Tu veux des pommes de terre ?
L'enfant : Non, ...
Le père : Tu prends du fromage ?
L'enfant : Non, ...
...

6. Associez les mots de l'encadré aux situations suivantes.

Exemple : a. Au petit déjeuner, je mange un œuf, du pain, je bois..., je prends...

a. au petit déjeuner
b. au dessert
c. pour accompagner la viande
d. en Asie
e. en Italie
f. à la fin du repas en France

de la confiture	du pain
des croissants	des pâtes
du fromage	des pommes de terre
un gâteau	du riz
une glace	une tarte
du lait	du thé
des olives	
des œufs	

Julien Duboué, chef cuisinier français.

Réfléchissons... Les articles partitifs

• Dans le document *Sandwich à la carte*, relevez les articles et classez-les dans le tableau.

Quantité indéfinie comptable → **articles indéfinis**	...
Quantité indéfinie non comptable → **articles partitifs**	...
→ **articles définis**	...

• Observez les formes négatives.

Il aime le thé. / Elle n'aime pas le thé.
Il mange du pain. / Elle ne mange pas de pain.
Il boit de l'eau minérale. / Elle ne boit pas d'eau minérale.
Il prend un dessert. / Elle ne prend pas de dessert.

Réfléchissons... Les autres mots de quantité indéfinie

Quantité comptable	Quantité non comptable
quelques olives	**un peu de** sauce
beaucoup d'olives	**beaucoup de** sauce

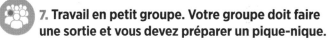

7. Travail en petit groupe. Votre groupe doit faire une sortie et vous devez préparer un pique-nique.

a. Faites la liste de ce que vous devez acheter.
b. Décrivez vos préparations : sandwichs, salades, etc.
c. Présentez votre projet de pique-nique.

ⓘ Point infos

DÉJEUNER « VITE FAIT »

Aujourd'hui, les jeunes et les employés veulent déjeuner rapidement. À midi, on va dans une boulangerie, un petit marché, un bar, une sandwicherie ou un camion restaurant spécialisés dans la nourriture à emporter. On achète un sandwich, une salade ou un plat. On peut manger bio et varié : salades composées, pâtes, sushis, etc. Les Français consomment 885 millions de sandwichs par an et 9 sandwichs pour un hamburger. Des grands chefs cuisiniers proposent une restauration rapide « à la française » avec des sandwichs à 9 € ou des plats de poisson à 12 €.

Dans cette leçon, vous allez faire le programme d'une sortie pour votre groupe classe.
Vous allez inviter la classe à cette sortie.

LASER GAME

Jouez avec des amis ou en famille !

6 personnes minimum
La partie d'une heure : 14 euros
Du mardi au dimanche
ouvert de 14 h à 20 h

Festival de musique électronique avec une soirée rock
Le top de la création musicale d'aujourd'hui !

marsatac

FESTIVAL MARSATAC

LES **25** ET **26** SEPTEMBRE

à Marseille
Friche
la Belle de Mai

www.parc-attractions-europe.com

Port aventura

Le 3e parc de loisirs européen !
à 100 km au sud de Barcelone

Amusez-vous et découvrez cinq régions du monde (la Méditerranée, la Polynésie, la Chine, le Mexique et le Far West)

37 attractions et 100 spectacles !

RALLYE À VÉLO SUR L'ÎLE DE RÉ

• Jeux sportifs et jeux de connaissance
• Découverte de l'île

◎ **COMÉDIE FRANÇAISE**
Dimanche 15 novembre
à 15 heures

Le Malade imaginaire de Molière

À 10 heures, conférence du professeur Alain Séguier : « Molière et les médecins »

1

Choisissez le lieu et la date de votre sortie.

1. Choisissez une date.
Le...

2. Choisissez un lieu.
❑ à la montagne   ❑ à la campagne   ❑ à la mer
❑ en ville   ❑ dans un village   ❑ dans un parc

2

Faites votre programme d'activités.

3. Lisez les propositions d'activités de la page 70. Conseillez une activité à ces personnes.
a. J'ai envie de voir de beaux paysages.
b. C'est l'hiver. Il fait froid. Qu'est-ce qu'on peut faire avant d'aller au cinéma à la séance de 18 h ?
c. Nous allons en Espagne avec nos enfants.
d. J'ai envie de danser toute la nuit.
e. Je m'intéresse au théâtre.

4. Classez les activités proposées dans le tableau. Complétez le tableau avec les activités de la page 73 et d'autres activités que vous connaissez.

Jeux	Laser Game, ...
Activités sportives	...
Spectacles	...
Activités culturelles	...

 Anniversaire à la campagne !

✉ Privé – Organisé par Laëtitia

🕐 4 juillet à 9 : 30

📍 Vic

3	**0**	**12**
participants	peut-être	invités

Bonjour à tous et à toutes !
Le 4 juillet, c'est mon anniversaire. J'ai 30 ans !
J'invite tous mes amis à une journée à la campagne !
Voici le programme :
9 h 30 : rendez-vous sur le parking de Carrefour pour le covoiturage ou
10 h : rendez-vous au village de Vic, sur la place de la mairie.
10 h 30 : promenade à cheval dans la campagne. Découverte d'un site préhistorique.
13 h : repas paëlla à l'auberge de Vic. Jeux et danses.
18 h : baignade dans la rivière.
19 h 30 : retour.

Si vous avez envie de venir contactez-moi !
Laëtitia

3

Écrivez votre invitation.

5. Lisez l'invitation ci-contre. Répondez.
a. Qui a fait l'invitation ?
b. Pourquoi ?
c. Qui est invité ?
d. Quelles sont les activités proposées ?
e. Est-ce que la sortie est bien organisée ?

6. Écrivez votre invitation. Vous pouvez faire :
– un courriel (voir p. 64) ;
– une affichette ou un prospectus (flyer).

4

Présentez oralement votre programme de sortie.

La classe donne son avis.

PARLER DU FUTUR

Présent	Futur proche « *aller* + verbe à l'infinitif »
Aujourd'hui... Maintenant... je **travaille**.	*À 20 h... Demain soir... Le 3 juillet,* je **vais dîner** avec Romane.

! Remarque : on peut aussi exprimer le futur proche par le présent s'il y a une indication de temps.
*(Demain, je **dîne** avec Romane.)*

INVITER – ACCEPTER OU REFUSER UNE INVITATION

• **Inviter**
Je fais une fête. Tu veux venir ? / Tu as envie de venir ?
Il y a un bon film à la télé. Tu es intéressé(e) ? / Ça t'intéresse ?
• **Accepter**
D'accord, je vais venir. / J'accepte. / Je peux venir. / Je suis content(e) de venir.
• **Refuser**
Désolé(e), excuse-moi. Je ne peux pas venir. Je dois travailler.

EXPRIMER LA QUANTITÉ

Quand on parle d'une quantité comptable, différenciée	• une baguette de pain, deux baguettes, etc. • une tranche de pain, un morceau de poulet • quelques fruits
Quand on parle d'une quantité non comptable, indifférenciée Quand on parle de la partie d'un tout	• du pain, de la viande • un peu de vin, beaucoup d'eau

• **Le sens et l'emploi des articles**
– **Article indéfini :** Au dessert, il mange **un** gâteau (= tout le gâteau).
– **Article partitif :** Au dessert, il mange **du** gâteau (= une partie du gâteau).
– **Article défini :** Au dessert, il mange **le** gâteau (= le gâteau fait par son amie).
　　　　　　　Il aime beaucoup **les** gâteaux (= les gâteaux en général).

• **Les articles indéfinis et partitifs à la forme négative :** *ne... pas de...*
– Tu as un frère ? – Je **n'**ai **pas de** frère.
– Elle boit du vin ? – Elle **ne** boit **pas de** vin.

DIRE SI ON SAIT

• Tu sais faire du ski ? – Non, je ne sais pas.
Tu sais conjuguer le verbe *aller* au présent ?
Tu sais où habite Thomas ? Tu sais à quelle heure il arrive ?
• Tu connais la France ? – Non, je ne connais pas la France.
Tu connais Julia ?
• Je ne comprends pas le mot « caillant ». Qu'est-ce que
ça veut dire ?
– « Il fait caillant » veut dire « il fait froid ».

RAPPORTER DES PAROLES

Pour rapporter des paroles au présent (au moment où elles sont prononcées)

	Paroles prononcées	Paroles rapportées
Phrases déclaratives	Cédric : « Je suis libre dimanche. »	**dire que...** Cédric **dit qu'**il est libre dimanche.
Phrases interrogatives	Moi : « Tu veux faire un tennis ? »	**demander si...** Je **demande** à Cédric **s'il** veut faire un tennis.
Phrases impératives	Moi : « Viens à 10 h ! »	**demander de ...** Je **demande** à Cédric **de** venir à 10 h.

LA CONJUGAISON DES VERBES

Vouloir	Pouvoir	Devoir	Savoir	Boire	Choisir
je veux	je peux	je dois	je sais	je bois	je choisis
tu veux	tu peux	tu dois	tu sais	tu bois	tu choisis
il / elle veut	il / elle peut	il / elle doit	il / elle sait	il / elle boit	il / elle choisit
nous voulons	nous pouvons	nous devons	nous savons	nous buvons	nous choisissons
vous voulez	vous pouvez	vous devez	vous savez	vous buvez	vous choisissez
ils / elles veulent	ils / elles peuvent	ils / elles doivent	ils / elles savent	ils / elles boivent	ils / elles choisissent

PARLER DES LOISIRS

• **La pratique :** Il aime le ski. Il fait du ski en hiver. En été, il fait du skate.
Elle préfère le snowboard. Elle fait du snowboard. Elle fait aussi de la danse.
Il s'intéresse au théâtre.
Elle participe à une randonnée.
• **Les sports :** le football – le basketball – le tennis – le ski – le vélo (le VTT) – le jogging – la gymnastique – la randonnée
• **Les loisirs culturels :** le cinéma (un film) – le théâtre (un spectacle) – la danse – la musique (un concert) – la peinture (une exposition)

NOMMER LA NOURRITURE

• **Les repas :** le petit déjeuner (prendre son petit déjeuner) – le déjeuner (déjeuner) – le dîner (dîner)
manger (il ne mange pas de viande) – boire (il ne boit pas de vin)
• **La viande :** le bœuf – le poulet – le porc (le jambon – le saucisson – le pâté) – un steak (haché)
• **Les légumes :** les pommes de terre – les haricots – les tomates – la salade verte – les champignons – les oignons – les concombres – les olives
• **Le lait et les œufs :** un yaourt – le fromage
• **Les desserts :** les pâtisseries (un gâteau – une tarte) – une glace – les fruits (une pomme – des fraises – des cerises – une banane – une orange)
• **Les boissons :** l'eau – la bière – le vin – le thé – le café – le jus d'orange

1. FAIRE UN PROJET

Mettez les verbes au futur proche.

Projets pour l'été

a. La première semaine de juillet, je *(faire)* un stage d'informatique.

b. Du 15 au 31 juillet, nous *(découvrir)* le Portugal en famille.

c. En août, mon fils *(apprendre)* l'espagnol à Madrid.

d. Ma fille et son copain *(travailler)* dans un supermarché.

e. Et toi avec Jean-Luc, qu'est-ce que vous *(faire)* ? Vous *(aller)* à la campagne ?

2. INVITER – ACCEPTER OU REFUSER UNE PROPOSITION

Écrivez une phrase pour chaque situation.

a. Vous invitez Ludovic et Mélanie à un week-end de randonnée.

b. Ludovic accepte l'invitation.

c. Mélanie refuse.

Week-end de randonnée
Les Calanques de Cassis

Tout compris : 200 €

3. RAPPORTER LES PAROLES DE QUELQU'UN

Noémie vous parle au téléphone. Rapportez ses paroles à votre amie Lucy.

a. « Je vais au théâtre. » → Elle dit qu'elle...

b. « On joue *Le Malade imaginaire*. » → ...

c. « Tu aimes Molière ? » → ...

d. « Tu veux venir avec ton amie Lucy ? » → ...

e. « Elle est sympa. » → ...

4. EXPRIMER LA QUANTITÉ

Complétez avec un article.

Mère et fils

Le fils : Maman, qu'est-ce qu'il y a au dîner ?

La mère : ... soupe.

Le fils : Je n'aime pas ... soupe.

La mère : Après, il y a ... poulet et ... frites.

Le fils : Super, j'adore ... poulet et ... frites. Au dessert, est-ce que je pourrais prendre ... glace ?

5. NOMMER LES ALIMENTS

Vous travaillez dans un restaurant. Répondez aux demandes des clients.

Exemple : **a.** *Il y a du saumon.*

a. Je voudrais manger du poisson. Qu'est-ce que vous avez ?

b. Au dessert, je vais prendre un fruit. Qu'est-ce que vous avez ?

c. Je voudrais de la viande, mais je ne mange pas de porc.

d. Qu'est-ce que vous avez pour accompagner mon steak ?

e. Je voudrais boire un jus de fruit. Qu'est-ce que vous avez ?

6. PARLER DE SES LOISIRS

Écoutez. Notez les loisirs de Clara et Jérémie dans le tableau.

N° 58

	Clara	Jérémie
En hiver	...	ski
En été	...	...
Pendant l'année	...	...

7. EXPRIMER UN PROBLÈME

Qu'est-ce que vous dites au professeur dans les situations suivantes ?

a. En classe, vous ne comprenez pas l'expression « À plus ! ».

b. C'est l'hiver. La porte de la classe est ouverte. Vous avez froid.

c. Vous avez mal à la tête. Vous ne vous sentez pas bien.

d. Vous ne travaillez pas beaucoup. Le professeur est inquiet.

RENDEZ-VOUS IN TERRA NOSTRA

VOYAGER

1 **RACONTER UN VOYAGE**
• Comprendre un message de voyage
• Raconter un voyage
• Faire les présentations

3 **RENCONTRER DES DIFFICULTÉS**
• Exprimer l'appartenance
• Demander ou donner une explication
• Rencontrer un problème

2 **ORGANISER UN VOYAGE**
• Comprendre un document de voyage
• Utiliser les moyens de transport
• Préparer un voyage

4 **VISITER UNE RÉGION**
• Comprendre des informations sur une région
• Parler de la météo
• Décrire des déplacements
• Donner des informations sur une région

PROJET

ÉCRIRE UNE CARTE POSTALE OU UN COURRIEL DE VOYAGE
• Utiliser les formules d'introduction et de fin d'une lettre
• Donner des informations sur son voyage (itinéraire, régions et villes, climat, etc.)
• Exprimer son opinion sur un voyage

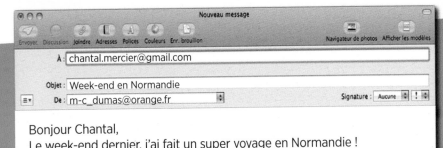

Nouveau message

À : chantal.mercier@gmail.com

Objet : Week-end en Normandie

De : m-c_dumas@orange.fr   Signature : Aucune

Bonjour Chantal,
Le week-end dernier, j'ai fait un super voyage en Normandie !
Voici quelques photos.
Mon ami Bertrand est venu avec moi. Nous sommes partis samedi matin, nous avons visité Château-Gaillard et la maison de Monet. J'ai enfin vu le célèbre jardin.
Le dimanche, nous sommes allés à Rouen et nous nous sommes promenés dans la vieille ville. Bertrand s'est intéressé à la cathédrale.
Puis, nous avons déjeuné dans un excellent restaurant.
Bises,
Marie-Claire

La cathédrale de Rouen par Monet

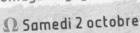

Omega Voyages — WEEK-END EN NORMANDIE

Ω Samedi 2 octobre

9 h	– Départ de Paris, place des Invalides
10 h 30	– Visite de Château-Gaillard (XIIe siècle) et des Andelys, joli petit village au bord de la Seine
13 h	– Déjeuner à l'*Auberge normande*
14 h 30	– Giverny : visite de la maison de Monet à Giverny et du jardin, avec les célèbres nymphéas
16 h 30	– Visite du musée des Peintres impressionnistes
19 h	– Repas et nuit à l'hôtel *Baudy*, hôtel préféré de Pissaro, Sisley et Cézanne

Ω Dimanche 3 octobre

9 h	– Départ pour Rouen
10 h	– Visite de la cathédrale (du XIIe au XVe siècle)
13 h	– Repas à *La Table des Hôtes*
14 h 30	– Visite du centre historique de Rouen
18 h	– Retour à Paris

La maison de Monet à Giverny

Comprendre un message de voyage

1. Lisez le message de Marie-Claire. Dites si les phrases suivantes sont vraies ou fausses. Justifiez votre réponse.
a. Marie-Claire écrit à une amie.
b. Marie-Claire va faire un voyage en Normandie.
c. Marie-Claire raconte un voyage passé.
d. C'est un voyage de deux jours.

2. Lisez le programme du voyage en Normandie. Retrouvez les moments racontés par Marie-Claire.

3. Observez la construction du passé composé dans la partie « Réfléchissons ». En petit groupe, continuez un des récits suivants.
a. Marie-Claire raconte son voyage : « *Je suis partie le samedi 2 octobre. Le matin, j'ai visité...* »
b. Vous racontez le voyage de Marie-Claire : « *Marie-Claire est partie...* »
c. Marie-Claire et Bertrand racontent leur voyage : « *Nous sommes partis...* »

Prononciation du passé composé

a. Distinguez le présent et le passé. Cochez la bonne case.

 N° 59

	Présent	Passé
1.	X (J'aime voyager)	
...		

b. Répondez comme dans l'exemple.
Interrogatoire

N° 60

– Qu'est-ce que vous avez fait dans la journée de samedi ? Vous avez déjeuné au restaurant ou chez vous ?
– J'ai déjeuné chez moi.
– Vous avez regardé la télévision ou vous êtes sorti(e) ? ...

c. Répondez *oui* ou *non* selon votre expérience.
– Vous êtes allé(e) en France ?
– Oui, je suis allé(e) en France. /
– Non, je ne suis pas allé(e) en France.

 N° 61

Villa Marie-Claire | Retour de voyage

N° 11

N° 62

1. Oh pardon, j'oublie les présentations !
2. Ah, bonjour Mamie ! Alors, tu as fait un bon voyage ?

Raconter un voyage

4. Regardez ou écoutez la séquence 11. Associez les phrases et les photos.

5. Continuez les phrases.
a. Marie-Claire Dumas a fait...
b. Elle est partie en voyage avec...
c. Pendant le voyage, elle a vu...
d. Elle a dormi...
e. Elle a mangé...
f. À l'université, Mélanie fait...
g. Bertrand a lu...
h. Bertrand a vu...

 6. Dialoguez avec votre voisin(e).

Qu'est-ce que tu as fait hier soir ?
Qu'est-ce que tu as fait le week-end dernier ?

Faire les présentations

 7. Par groupe de trois étudiants (A, B et C), imitez la fin de la séquence 11.

A présente B à C (nom, profession, nationalité, loisirs, intérêts). B pose des questions à C sur son pays ou sur ses intérêts.

Réfléchissons... Le passé composé

• Dans le courriel de Marie-Claire Dumas, relevez les verbes qui parlent du passé. Classez-les dans le tableau.

	Verbes	Moment du passé
Verbes construits avec *avoir*	• j'ai fait un voyage → faire • ...	le week-end dernier
Verbes construits avec *être*	...	

• **Observez la construction du passé. Complétez la conjugaison.**
– **Cas général (*faire, visiter, voir*, etc.)**
→ *avoir* + participe passé
J'ai fait un voyage – tu as fait un voyage – il / elle...

– **Cas de quelques verbes (*aller, venir, partir, arriver*, etc.)**
→ *être* + participe passé
Je suis allé(e) en Normandie – tu es allé(e) – ...

– **Cas des verbes pronominaux**
Je me suis promenée – tu...

– **Interrogation et négation**
– Vous êtes allé(e) en Normandie ?
– Non, je ne suis pas allé(e) en Normandie.
– Vous avez vu Rouen ?
– Non, je n'ai pas vu Rouen.

📑 Liste page 86

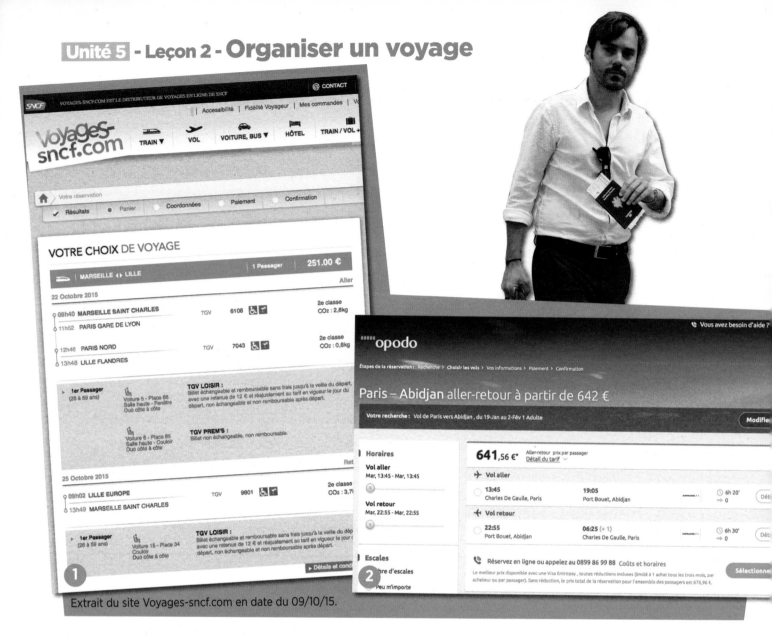

Extrait du site Voyages-sncf.com en date du 09/10/15.

Comprendre un document de voyage

1. Observez le document 1. Choisissez les bonnes réponses.

a. Ce document montre un site de réservation...
1. pour un voyage aller simple en avion.
2. pour un voyage aller-retour en train.

b. Le trajet Marseille-Lille est...
1. direct.
2. avec changement à Paris.

c. Le train est...
1. un train normal.
2. un train à grande vitesse.

d. Le billet est...
1. un billet de 1re classe.
2. un billet de 2e classe.

e. Le TGV n° 6108 est...
1. à destination de Paris.
2. en provenance de Marseille.

f. Si le billet TGV Loisir n'est pas utilisé, ...
1. il est remboursé.
2. il n'est pas remboursé.

g. Au retour, le passager est placé...
1. côté couloir.
2. côté fenêtre.

2. Observez le document 2. Dites si les phrases suivantes sont vraies ou fausses. Corrigez si nécessaire.

a. Le document est un billet d'avion.

b. Le voyageur va en Afrique.

c. Il va voyager avec un ami.

d. Le vol proposé est un vol direct.

e. Le vol arrive à Abidjan à 20 h 05, heure française.

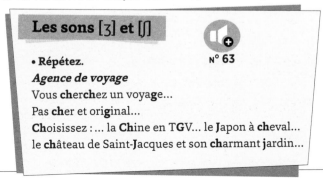

Les sons [ʒ] et [ʃ]

N° 63

• **Répétez.**

Agence de voyage

Vous **ch**er**ch**ez un voya**g**e...

Pas **ch**er et ori**g**inal...

Choisissez : ... la **Ch**ine en TGV... le **J**apon à **ch**eval...

le **ch**âteau de Saint-**J**acques et son **ch**armant **j**ardin...

3. Écoutez ces annonces. Pour chaque annonce, trouvez l'information et ce qu'on doit faire.
n° 64

Exemple : Annonce 1 → c. 4

L'information principale	Qu'est-ce qu'on doit faire ?
a. Le train a du retard.	**1.** On doit aller porte 39.
b. L'avion va décoller.	**2.** On doit attendre un quart d'heure.
c. Le train pour Paris va arriver.	**3.** On doit attacher notre ceinture.
d. C'est l'heure d'embarquer dans notre avion.	**4.** On doit aller au quai A.
e. L'avion va atterrir.	

Utiliser les moyens de transport

4. Complétez avec un mot de l'encadré.
Estelle habite à Bruxelles. Elle travaille au Parlement européen.

a. Elle habite près du Parlement. Elle n'a pas de vélo. Alors, elle va travailler à ... ou elle utilise ...
b. Quand elle part à New York, elle prend ...
c. Pour aller de chez elle à l'aéroport, elle prend ... ou elle fait ... avec ses collègues.
d. En hiver, elle va à Paris ... . En été, elle prend sa ... et passe par l'autoroute.
e. À Paris, elle se déplace ... . C'est rapide.

- le vélo – l'avion – le train (le TGV) – un taxi – le métro – l'autobus (le bus) – le tramway (le tram) – le car – la voiture
- le libre service du vélo ou de la voiture (À Paris *Vélib* et *Autolib*) – le covoiturage
- Il prend le train, l'avion, etc. Il va / voyage en train (en avion, en voiture, etc.), à vélo (à pied).

5. Complétez avec les verbes *arriver, changer, partir, prendre* **à la forme qui convient.**
Trajet Marseille-Lille en TGV

Le TGV 6108 ... de Marseille à 8 h 40.
Il ... à Paris à 11 h 52.
À Paris, on doit ... de gare.
On doit ... le métro, le bus ou un taxi pour aller de la gare de Lyon à la gare du Nord.

Préparer un voyage

7. Préparez un voyage dans une région de France ou d'un pays francophone.
Allez sur les sites de Air France (www.airfrance.fr) ou de la SNCF (www.voyages-sncf.com).
Choisissez les jours et heures de départ et d'arrivée, les numéros de vol ou de train, etc.

6. Mettez les verbes entre parenthèses au passé.
Week-end à Barcelone
– Qu'est-ce que tu *(faire)* le week-end dernier ?
– Je *(aller)* à Barcelone.
– En voiture ?
– Non, j'*(faire)* le voyage en train.
– Tu *(voyager)* seul ?
– Non, avec Claélia. Nous *(voir)* la célèbre cathédrale la Sagrada Familia. Claélia *(aimer)* les maisons de l'architecte Gaudi. Nous *(manger)* des tapas dans un restaurant des Ramblas.
– Vous *(aller)* aussi au parc Güell ?

 **Point infos**

LA SNCF

La SNCF (Société nationale des chemins de fer français) organise les voyages en train. Pour voyager à l'intérieur d'une région, on prend le **TER** (transport express régional) ou le **RER** (réseau express régional d'Île-de-France). Pour un voyage plus long, on prend un train **Intercités** ou le **TGV** (train à grande vitesse).
Le TGV est très pratique. Pour aller de Paris à Lyon, il faut 2 heures.
En avion, il faut 2 h 30 si on compte les trajets centre-ville – aéroport.
Le TGV relie de nombreuses villes de France : Paris, Lille, Tours, Bordeaux, Avignon, Marseille, Montpellier, Reims, Strasbourg...

Villa Marie-Claire   **Réunion chez Florial**

N° 12   N° 65

1. L'employée : Monsieur Dubrouck ? Mademoiselle Wang ?
Vos billets pour Milan.
  Li Na : Nos billets pour Milan ? Mais pourquoi ?
2. Jean-Louis : Il y a un portable, là. Il est à qui ? À toi, Éric ?
3. Éric : Ne te mets pas là.
  Ludovic : Pourquoi ?
  Éric : Parce que c'est la place de la directrice.

Exprimer l'appartenance

1. Regardez ou écoutez la séquence 12.
a. Associez les phrases et les photos.
b. Pour chaque photo, complétez la description de la situation.
Photo a : Ludovic s'est assis...
Photo b : Jean-Louis trouve... C'est...
Photo c : L'hôtesse donne... Ludovic ne sait pas...

2. Complétez le dialogue de la scène de la photo b.
Jean-Louis : Il y a un portable, là. Il est... ? ... Éric ?
Éric : Non, Jean-Louis. C'est...
Jean-Louis : Monsieur Dubrouck, c'est... ?
Ludovic : Oui, oui, il...
Jean-Louis : Attention, ...

Enchaînement des constructions *être à* + pronom

a. Répondez *oui* comme dans l'exemple.
Dans le train   N° 66
– C'est votre sac ?
– Oui, il est à moi.
– C'est la valise de votre voisine ?
– ...

b. Répondez *non* comme dans l'exemple.
Rangement   N° 67
– C'est ton portable ?
– Non, il n'est pas à moi.
– C'est le stylo de Greg ?
– ...

Réfléchissons... L'expression de l'appartenance

• Dans le dialogue complété dans l'exercice 2, remarquez trois manières d'exprimer l'appartenance.
→ C'est le portable ... Ludovic.
→ C'est ... portable.
→ Il est...
• Complétez le tableau.   page 86

Forme *être* + *à* + pronom	Adjectifs possessifs		
à moi	mon billet	ma place	mes valises
à toi	...	...	...
à lui / à elle	...	...	...
à ...	notre billet notre place		...
à ...	votre billet votre place		...
à eux / à elles	leur billet leur place		leurs valises

Demander ou donner une explication

3. Complétez selon les indications.
a. Complétez avec la forme *être à* + *moi, toi*, etc.
Les familles Lepic et Bouley partent ensemble aux sports d'hiver
Le père : À qui sont les grandes valises ? Aux enfants Bouley ?
Les enfants : Oui, elles sont...
Le père : Et les skis rouges, ce sont vos skis ?
Les enfants : Oui, ils...
Le père : Le sac vert est... ?
Les enfants : Oui, c'est notre sac.

b. Complétez avec un adjectif possessif.
Le père : À qui est ce ballon ? À vous ?
Les enfants : Oui, c'est ... ballon.
Le père : Les skates sont aux enfants Bouley ?
Les enfants : Oui, ce sont ... skates.
Le père : Très bien. N'oubliez pas ... chaussures de ski.

4. Demandez des explications à votre voisin(e). Répondez en utilisant *parce que* et *pour* comme dans l'exemple.
Exemple : a. J'apprends le français **parce que** je vais en vacances en France. J'apprends aussi le français **pour** parler avec mes amis français.
a. Pourquoi tu apprends le français ?
b. Tu viens ici en voiture ? Pourquoi ?
c. Tu vas où en vacances ? Pourquoi ?
d. Tu pratiques un sport ? Quel sport ? Pourquoi ?

5. Écrivez l'explication de Lisa comme dans l'exemple.
Une collègue curieuse
Ophélie : Tu n'es pas venue travailler la semaine dernière. Pourquoi ?
Lisa : (Elle a pris une semaine de vacances.)
→ *Parce que j'ai pris une semaine de vacances.*
Ophélie : Pourquoi tu as pris des vacances ?
Lisa : (Elle est allée à Clermont-Ferrand.)
Ophélie : Pourquoi tu es allée à Clermont-Ferrand ?
Lisa : (Avec Arnaud, elle a fêté ses 10 ans de mariage.)
Ophélie : Pourquoi vous n'êtes pas allés à Venise ?
Lisa : (Elle a rencontré Arnaud à Clermont-Ferrand. Ils ont fait leurs études ensemble à l'université.)

Réfléchissons... Donner une explication

• **Observez ces explications et complétez.**
L'employée : Voici des billets d'avion.
Li Na : Pourquoi ?
L'employée : Parce que vous allez à Milan.
Li Na : Pourquoi nous allons à Milan ?
L'employée : Pour participer au salon des parfums et cosmétiques. Il y a une réunion demain.
Li Na : Pourquoi ?
L'employée : ... préparer le salon.
Li Na : Je ne peux pas venir à la réunion.
L'employée : ... ?
Li Na : ... j'ai un rendez-vous important.

Rencontrer un problème

6. Préparez et jouez les situations avec votre voisin(e).

Dans la gare, vous êtes assis(e) dans la salle d'attente. À côté de vous, vous voyez un sac bizarre. Vous demandez à votre voisin(e)...

À l'aéroport, elle ne comprend pas sa carte d'embarquement : « Qu'est-ce que je dois faire ? Où est-ce que je dois aller ? »

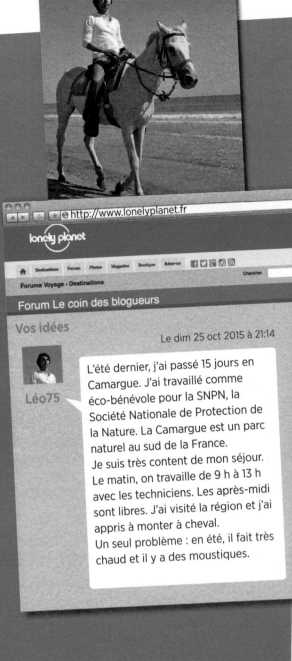

http://www.lonelyplanet.fr

lonely planet

Destinations Forum Photos Magazine Boutique Réserver   Je m'inscris Je m'identifie

Magazine › France   Chercher

DES IDÉES ORIGINALES POUR VISITER LA FRANCE

Le Haut-Jura en traîneau à chiens

En hiver, pendant une semaine, vous traversez une magnifique région de montagnes, de forêts et de lacs. Le soir, repas autour du feu et nuit dans une cabane. Une expérience extraordinaire !
Attention, il fait froid et il neige beaucoup. La température peut descendre à -15 °C, mais il y a aussi de belles journées de soleil.

Seul sur une île

La petite île de Quéménès est à 9 kilomètres des côtes de la Bretagne. Sur l'île, une seule maison et un couple d'agriculteurs. D'avril à octobre, ils reçoivent quelques touristes amoureux de l'océan : dix au maximum. En octobre, il pleut beaucoup et il fait du vent, mais vous pouvez être seul. Pour de longues promenades au bord de l'océan. Pour oublier les problèmes.

http://www.lonelyplanet.fr

lonely planet

Destinations Forum Photos Magazine Boutique Réserver   Chercher

Forums Voyage › Destinations

Forum Le coin des blogueurs

Vos idées

Léo75

Le dim 25 oct 2015 à 21:14

L'été dernier, j'ai passé 15 jours en Camargue. J'ai travaillé comme éco-bénévole pour la SNPN, la Société Nationale de Protection de la Nature. La Camargue est un parc naturel au sud de la France.
Je suis très content de mon séjour. Le matin, on travaille de 9 h à 13 h avec les techniciens. Les après-midi sont libres. J'ai visité la région et j'ai appris à monter à cheval.
Un seul problème : en été, il fait très chaud et il y a des moustiques.

Comprendre des informations sur une région

1. Identifiez le document.

 2. Travail en petit groupe. La classe se partage les trois parties du document.

a. Pour chaque partie, recherchez des informations sur :
– le lieu (situation, type de lieu) ;
– le climat ;
– les activités ;
– les problèmes.

b. Présentez ces informations à la classe.

3. Vérifiez votre compréhension. Approuvez ou corrigez les informations suivantes.
a. Dans le Haut-Jura, on peut avoir froid.
b. Dans le Haut-Jura, on peut faire de belles photos.
c. Sur l'île de Quéménès, on reste seul.
d. En Camargue, on doit travailler du matin au soir.
e. Si on fait le séjour en Camargue, on reçoit de l'argent.

Parler de la météo

4. Associez chaque expression à un dessin.

a. Il fait beau.
b. Il fait bon.
c. Il fait chaud.
d. Il fait du vent.
e. Il fait froid.
f. Il fait soleil.
g. Il neige.
h. Il pleut.
i. Il y a des nuages.

5. Observez la carte météo du 7 juin. Les affirmations suivantes sont-elles vraies ou fausses ?

a. Il va faire beau en région parisienne et en Bretagne.
b. Il va pleuvoir dans le sud-ouest.
c. Il va faire très chaud dans le nord de la France.
d. Il va neiger sur les Alpes et les Pyrénées.
e. Il va faire soleil dans le sud-est.
f. Il va y avoir des nuages sur le Massif central.

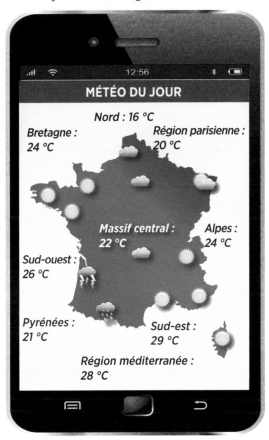

6. Écoutez la météo du 24 février. Faites la carte du temps pour cette journée (cahier d'activités, p. 65).
N° 68

Décrire des déplacements

7. Complétez les phrases avec les verbes de l'encadré.
Une randonnée en montagne
a. Nous *sommes allés* faire une randonnée dans les montagnes des Cévennes, au sud du Massif central. Nous ... sur le mont Aigoual par le côté sud.
b. Nous avons vu une cascade et nous ... une rivière.
c. Nous ... par le côté nord.
d. Nous ... dans la cabane d'un berger.
e. Nous ... au village à 19 h.

> aller / revenir
> monter / descendre
> entrer / sortir
> traverser

Donner des informations sur une région

8. Répondez à ce courriel et proposez un lieu de vacances original. Donnez les informations suivantes :
– situation du lieu ;
– type de lieu (montagne, bord de mer, près d'une rivière, etc.) ;
– climat ;
– activités possibles ;
– problèmes possibles.

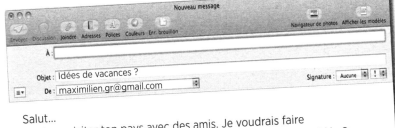

Salut...
Je viens visiter ton pays avec des amis. Je voudrais faire un séjour original, loin des groupes de touristes. Tu as une idée ?

ⓘ Point infos

LA FRANCE TOURISTIQUE

La France reçoit chaque année 85 millions de visiteurs. On connaît ses grandes destinations touristiques : Paris et ses monuments, la Normandie et son abbaye du Mont-Saint-Michel, les châteaux de la Loire, la côte d'Azur, le Sud, ses paysages et le pont du Gard... et aussi les parcs d'attraction (Disneyland, le parc Astérix, le Futuroscope). Mais le reste du pays a aussi son intérêt et la France est un pays très varié. Chaque région a ses paysages, son histoire et ses traditions.

Dans cette leçon, vous allez écrire à une personne de votre choix (ami(e), parent, étudiant(e) de la classe, etc.) pour raconter un voyage.
Vous pouvez écrire :
– une carte postale ;
– un courriel ;
– des commentaires de photos à poster sur Facebook ;
– le texte d'un diaporama.

Nouveau message

Envoyer Discussion Joindre Adresses Polices Couleurs Enr. brouillon

À : jero.morin@gmail.com ; lulu_la_berlue@orange.fr ; line.muller@free.fr

Objet : Petit bonjour de La Réunion !

De : roussel.l-f@yahoo.fr

Chers amis,
Nous passons d'excellentes vacances sur l'île de La Réunion.
C'est une île magnifique. Nous avons découvert des paysages très variés :
belles plages blanches, hautes montagnes, forêts, grandes cascades...
Ici, on peut tout faire. Nous avons fait ensemble de magnifiques
randonnées. Frédéric a
commencé le canyoning et moi, pour la première
fois de ma vie, j'ai fait de la plongée. Une expérience
extraordinaire !
Ici, c'est l'hiver mais il fait bon (25 °C dans la journée)
et nous avons du soleil tous les jours.
La nourriture est très bonne, les gens sont sympas
et le soir on s'amuse bien à chanter et à danser sur
de la musique traditionnelle.
Un seul problème : il y a trop de touristes !
On pense bien à vous et on espère que vous allez bien.
Voici quelques photos de notre séjour.
Mille bisous,
Lise et Frédéric

 2 pièces jointes

1

Observez un courriel de vacances.

1. Lisez le courriel ci-dessus. Répondez.
a. Qui écrit ?
b. À qui ?
c. Pourquoi ?

2. Repérez les parties du message.
1. Formule pour commencer
2. Informations sur les paysages de la région visitée
3. ...

2 Commencez votre message.

3. Dans l'encadré ci-contre, choisissez la formule pour commencer un message à :
– votre professeur ;
– votre vieille tante ;
– un copain.

Choisissez à qui vous écrivez votre message et écrivez la formule de commencement.

3 Parlez du pays et du temps.

4. Écrivez quelques lignes pour présenter le pays ou la région que vous visitez et le temps qu'il fait.
a. Situez la région.
Nous visitons... C'est en Argentine, au sud de...

b. Décrivez les lieux.
Je suis allé(e)... J'ai vu... J'ai visité... J'ai aimé...

 Vocabulaire de la ville p. 45

c. Parlez du temps.
Nous avons du beau temps / du mauvais temps... Hier, il a plu...

 Vocabulaire du temps et des paysages p. 87

4 Parlez de vos activités.

5. Indiquez votre itinéraire et les activités que vous avez faites.
Nous sommes partis... Nous nous sommes arrêtés à... Nous sommes restés 2 jours à... J'ai fait de la plongée... de la randonnée... Nous avons visité les monuments... Nous avons vu...

5 Donnez votre avis sur le voyage.

6. Parlez des points positifs ou négatifs.
Il fait très chaud... On ne dort pas bien à l'hôtel... Les gens sont très sympathiques... J'aime beaucoup les gens du groupe... Le guide n'est pas très sympathique... Je suis contente de mes cours de plongée...

6 Finissez votre message.

7. Dans l'encadré ci-contre trouvez la formule pour finir un message à :
– vos parents ;
– un collègue de travail ;
– un ami ou une amie ;
– une copine.

Écrivez la formule de fin de votre message.

Pour s'exprimer

• **Pour commencer une lettre ou un message**
- Monsieur... Madame...
- Bonjour...
- Bonjour monsieur... Bonjour madame...

• **Pour commencer un message familier**
- Salut... Salut Frédéric...
- Cher Frédéric... Chers parents...
- Cher ami... Chère amie
- Chère madame Dumas

Apprenons à conjuguer...

POUR RACONTER UN VOYAGE
• **Continuez ces débuts de phrases.**
– **Le voyage :** Je suis allé(e)... Je suis parti(e)... Je suis arrivé(e)... Je suis rentré(e)...
– **Les visites :** J'ai vu... J'ai visité... J'ai découvert... J'ai fait...
– **Les préférences :** J'ai aimé... J'ai adoré... J'ai préféré...
– **Les repas :** J'ai déjeuné... J'ai dîné... J'ai mangé... J'ai bu...
– **Les rencontres :** J'ai rencontré... J'ai parlé à...
– **Le temps :** Il a fait...

• **Répétez ces débuts de phrases (sauf *Le temps*) :**
- à la forme *nous : nous sommes allé(e)s...*
- en posant des questions : *Où tu es allé(e) ?*

« *Nous sommes allés au Maroc. Nous avons visité le sud. Nous avons vu des villages magnifiques...* »

Pour s'exprimer

• **Pour finir un message familier ou un courriel**
- À bientôt... À la semaine prochaine
- Bise... Bisous... Gros bisous... Mille bisous
- Je t'embrasse... Je vous embrasse
- Amitiés
- Cordialement... Bien cordialement
- Salutations... Cordiales salutations
- Bien à toi... Bien à vous

PARLER D'UN ÉVÉNEMENT PASSÉ (LE PASSÉ COMPOSÉ)

• **Le passé composé exprime :**
- une action passée, *ex. :* Hier, **j'ai dîné** au restaurant avec des amis.
- une action achevée au moment où on parle, *ex. :* Il est 20 h. **J'ai dîné**. Je vais regarder la télé.

• **Formes du passé composé**

Cas général : *avoir* + participe passé	j'ai mangé tu as mangé il / elle a mangé nous avons mangé vous avez mangé ils / elles ont mangé
Cas des verbes : aller – arriver – descendre – entrer – monter – mourir – naître – partir – passer (sens de déplacement) – rester – retourner – revenir – sortir – tomber – venir *être* + participe passé	je suis allé(e) tu es allé(e) il est allé / elle est allée nous sommes allé(e)s vous êtes allé(e)(s) ils sont allés / elles sont allées
Cas des verbes pronominaux : se lever – se promener – etc. *être* + participe passé	je me suis levé(e) tu t'es levé(e) il s'est levé / elle s'est levée nous nous sommes levé(e)s vous vous êtes levé(e)(s) ils se sont levés / elles se sont levées

• **Le participe passé**
- verbes en –er → é   *ex. :* visiter → visité
- autres verbes : voir tableau de conjugaison, p. 149-450

• **Forme négative**
Elle n'est pas partie en vacances. Elle n'a pas visité la Grèce.

• **Forme interrogative**
Tu as pris des vacances ? Est-ce que tu es allé(e) en Grèce ?

• **Dans la conjugaison « *être* + participe passé », le participe passé s'accorde avec le sujet.**
Il est parti. – Elle est parti**e**.
Ils sont parti**s**. – Elles sont parti**es**.
Il s'est arrêté. – Elle s'est arrêté**e**.
Ils se sont arrêté**s**. – Elles se sont arrêté**es**.

EXPRIMER L'APPARTENANCE

L'appartenance peut s'exprimer par :
• **la préposition *de***   *ex. :* C'est la voiture **de** Nicolas.
• **un adjectif possessif**   *ex. :* C'est **sa** voiture.
• **la forme « *être à + moi, toi, lui / elle, nous, vous, eux / elles* »** (uniquement pour l'appartenance à des personnes)
          ex. : Cette voiture **est à Nicolas** ? – Oui, elle **est à lui**.

La chose possédée est...	Masculin singulier	Féminin singulier	Masculin et féminin pluriel
à moi	**mon** frère	**ma** sœur – **mon** amie (devant voyelle)	**mes** vacances
à toi	**ton** frère	**ta** sœur – **ton** amie (devant voyelle)	**tes** vacances
à lui / à elle	**son** frère	**sa** sœur – **son** amie (devant voyelle)	**ses** vacances
à nous	**notre** frère	**notre** sœur – **notre** amie	**nos** vacances
à vous	**votre** frère	**votre** sœur – **votre** amie	**vos** vacances
à eux / à elles	**leur** frère	**leur** sœur – **leur** amie	**leurs** vacances

EXPLIQUER

• **La cause**
– **Pourquoi** Julie est partie au Mexique ?
– **Parce qu'**elle adore parler espagnol.

• **Le but**
– **Pourquoi** Guillaume est parti au Mexique avec elle ?
– **Pour** visiter les temples mayas.

LA CONJUGAISON DES VERBES

Partir	Dormir	Descendre	Recevoir
je pars tu pars il / elle part nous partons vous partez ils / elles partent	je dors tu dors il / elle dort nous dormons vous dormez ils / elles dorment	je descends tu descends il / elle descend nous descendons vous descendez ils / elles descendent	je reçois tu reçois il / elle reçoit nous recevons vous recevez ils / elles reçoivent
hier, je suis parti(e)	hier, j'ai dormi	hier, je suis descendu(e)	hier, j'ai reçu

PARLER DES TRANSPORTS

• prendre le train / l'avion / le car / le bus / le métro / la voiture
aller à Toulouse en train / en avion / en voiture – aller travailler en métro / en bus / en voiture / à vélo
• voyager – faire un voyage (à Rome, en Italie)
• une gare – un aéroport – une station de métro – un arrêt de bus
• réserver – confirmer – annuler un voyage
• un billet de train / d'avion – un ticket de bus / de métro
• voyager à l'étranger– aller à l'ambassade / au consulat – demander un visa – présenter son passeport / sa carte d'identité

SE DÉPLACER

• aller – venir   *ex. :* Je vais au cinéma. Tu viens ?
• partir – arriver – s'arrêter – rester – revenir – rentrer
ex. : Benjamin est parti à Marseille le 6 mars. Il s'est arrêté un jour à Lyon. Il est reparti le 8. Il est resté trois jours à Marseille. Il est revenu dimanche. (Il est rentré chez lui dimanche.)
• monter / descendre – entrer / sortir

PARLER DU TEMPS

• **les saisons :** le printemps – l'été – l'automne – l'hiver
• **la température :** il fait froid / il fait chaud
• **le ciel :** il fait soleil – il y a des nuages
• **le vent, la pluie et la neige :** il fait du vent – pleuvoir – neiger

• **Les verbes utilisés pour la météo** n'ont qu'une personne : *il impersonnel*
  - pleuvoir : il pleut – hier, il a plu
  - neiger : il neige – hier, il a neigé
  - faire beau : il fait beau – hier, il a fait beau

DÉCRIRE UN PAYSAGE

• une montagne – un mont (le mont Blanc) – une forêt – une rivière – une cascade – un lac
• la mer – l'océan – le bord de la mer – une plage

1. RACONTER UN ÉVÉNEMENT PASSÉ

Lucie est allée à une conférence en Inde.
Elle raconte son voyage.
Je suis partie le 10 janvier...

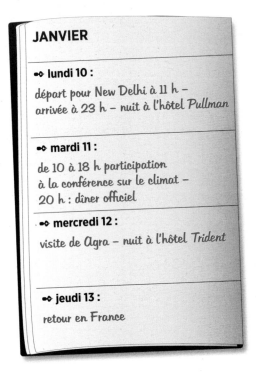

JANUARY — *(calendar)*

JANVIER

↝ **lundi 10 :**
départ pour New Delhi à 11 h –
arrivée à 23 h – nuit à l'hôtel *Pullman*

↝ **mardi 11 :**
de 10 à 18 h participation
à la conférence sur le climat –
20 h : dîner officiel

↝ **mercredi 12 :**
visite de Agra – nuit à l'hôtel *Trident*

↝ **jeudi 13 :**
retour en France

2. EXPRIMER L'APPARTENANCE

Complétez le dialogue.
Madame Dumas range la maison
Madame Dumas : ... est ce portable ? Il est à Greg ?
Mélanie : Oui, il est...
Madame Dumas : Greg, c'est ... portable ?
Greg : Oui, il est...
Madame Dumas : Et ces jeux vidéo ? Ils sont aux amis de Ludovic ?
Greg : Oui, ils sont...

3. EXPLIQUER

Complétez les explications.
Dans une salle de sport
Léa : Bonjour Léo ! Pendant deux mois tu n'es pas venu à la salle de sport. Pourquoi ?
Léo : ... je suis resté chez moi.
Léa : ... tu es resté chez toi ?
Léo : ... écrire un livre.
Léa : Tu as écrit un livre en deux mois !
Léo : Oui, et la semaine prochaine je prends quinze jours de vacances ... me reposer.

4. PARLER DU TEMPS

N° 69 Regardez la carte météo du 3 octobre.
Écoutez ces questions. Répondez et précisez.

a. *Non, il va pleuvoir.*
b. ...
c. ...
d. ...
e. ...
f. ...

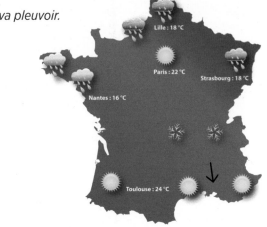

Lille : 18 °C
Paris : 22 °C
Strasbourg : 18 °C
Nantes : 16 °C
Toulouse : 24 °C

5. DÉCRIRE UN ITINÉRAIRE

Complétez avec des verbes qui expriment des déplacements au temps qui convient.
Manon raconte son voyage en Égypte
Je suis partie de l'aéroport de Marseille le samedi à 7 h.
Nous ... au Caire à 14 h.
Nous ... deux jours au Caire pour visiter la ville et voir les pyramides.
Nous sommes ... le mercredi matin pour Louxor.
Nous avons visité le site jusqu'au vendredi.
Le vendredi, à 17 h, je ... en France.

6. DÉCRIRE UNE RÉGION

Voici des lieux célèbres. Complétez comme dans l'exemple.
Les *chutes* du Niagara
... Atlantique
... Méditerranée
... de Copacabana à Rio de Janeiro
... d'Amazonie
... Baïkal en Russie
... de l'Himalaya
... Kruger en Afrique du Sud

7. COMPRENDRE DES PANNEAUX D'INFORMATION

a. Où trouve-t-on ces panneaux ?
N° 70 **b.** Écoutez. À quel panneau correspond chaque phrase ?
Exemple : *Panneau a : dans une gare ou un aéroport –*
phrase 3

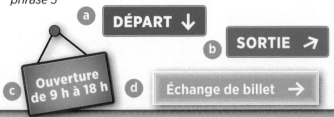

a DÉPART ↓
b SORTIE ↗
c Ouverture de 9 h à 18 h
d Échange de billet →

FAIRE
DES ACHATS

1 **CHOISIR UN CADEAU**
- Comparer
- Montrer – choisir

3 **CHOISIR DES VÊTEMENTS**
- Essayer un vêtement
- Apprécier
- Exprimer la nécessité
- Décrire des couleurs
- Décrire un vêtement

2 **ACHETER**
- Commander sur internet
- Faire un achat chez un commerçant – payer

4 **CONSOMMER**
- Parler de consommation
- Payer

PROJET

OFFRIR UN CADEAU
- Dire ou écrire quelques mots pour offrir un cadeau
- Dire ou écrire quelques mots pour remercier

Nos idées de cadeaux

Nos meilleures affaires !

La carte cadeau

À partir de **15 €**
Trouver un cadeau,
c'est aussi simple que ça !

Les baskets Air Plus

Plus légères,
plus sportives,
plus stylées   **65 €**

Le cadre photo Tempête des cœurs

Le plus romantique   **15 €**

La casquette Street

La moins chère
Pour être plus
tendance que
les autres   **9,90 €**

Un week-end au ZooParc de Beauval

Moins loin et aussi exotique
qu'un voyage en Asie
Forfait koala :
hôtel + zoo   **200 €**

Le radio-réveil Smile

18,90 €

Le radio-réveil design Ambiance

29,99 €

Comparer

1. Observez le document ci-dessus. Comparez les prix des cadeaux. Complétez avec *plus, aussi, moins*.
a. Les baskets sont ... chères que la casquette.
b. Le radio-réveil Smile est ... cher que le radio-réveil Ambiance.
c. Le week-end à Beauval est ... cher que les autres cadeaux.
d. La carte cadeau est ... chère que le cadre Tempête des cœurs.
e. La casquette est ... chère que les autres cadeaux.

2. En petit groupe, répondez.
Utilisez *le plus..., le moins..., le meilleur...*
Dans le document ci-dessus, quel est le cadeau :
a. le plus cher ?
b. le moins cher ?
c. le plus original ?
d. le plus amusant ?
e. le moins beau ?
f. le plus romantique ?
g. le plus pratique ?
h. le moins intéressant ?

Réfléchissons... Comparer

PLUS... QUE... (+) – AUSSI... QUE... (=) –
MOINS... QUE... (–)

• Utilisez les constructions ci-dessus
pour comparer la taille des personnes.
Luc : 1,80 m – Léa : 1,70 m – Noé : 1,70 m

a. Luc est *plus* grand *que* Léa.
b. Léa est ... Luc.
c. Léa est ... Noé.
d. Luc est ... Noé.

! Attention : bon → meilleur
*Exemple : Noé est **meilleur** au tennis **que** Luc.*

LE PLUS... LE MOINS...
Le cadeau **le plus** exotique, c'est le week-end
à Beauval.

• Utilisez les constructions ci-dessus
pour faire l'exercice 2.

! Attention : bon → le meilleur
Exemple : Au tennis, c'est Noé le meilleur.

Villa Marie-Claire — Un cadeau pour Greg

N° 13

N° 71

Regarde ces baskets rouges.
Elles sont sympas, non ?

0:18 / 7:03 HD

Montrer - choisir

3. Regardez ou écoutez la séquence 13. Complétez
cette description de la scène.
a. L'ordinateur de madame Dumas...
b. Bertrand ... sur une icône et l'ordinateur marche.
c. Le 18, c'est...
d. Madame Dumas veut faire...
e. Elle montre à Mélanie ... et...
f. Mélanie aussi veut...
g. Elle a pensé à...
h. Elle montre à madame Dumas et à Bertrand...

4. Les phrases suivantes sont-elles vraies ou fausses ?
a. Pour Mélanie, la casquette est plus originale que les baskets.
b. Pour Bertrand, une casquette est moins utile qu'un radio-réveil.
c. Le deuxième radio-réveil est aussi petit que le premier.
d. Le grand radio-réveil est plus original et plus amusant.
e. Le grand radio-réveil est plus cher que le petit.
f. Pour Bertrand, un radio-réveil est un meilleur cadeau qu'une casquette.

5. Complétez avec *ce, cet, cette, ces*.
Un enfant au rayon jouets du supermarché
L'enfant : Maman, je voudrais ... petite voiture rouge,
... avion, ... jeu vidéo, ... rollers.
La mère : C'est tout ?
L'enfant : Non, je voudrais aussi ... château du Moyen Âge
et ... boîte de Playmobil !

L'enchaînement dans les phrases superlatives

• **Répondez comme dans l'exemple.**
Des amis différents
a. Utilisez *le plus*...
– Pierre est amusant ?
– Oui, c'est le plus amusant.
– ...

N° 72

b. Utilisez *le moins*...
– Hugo est intéressant ?
– Non, c'est le moins intéressant.
– ...

N° 73

Réfléchissons... Les démonstratifs

• **Les mots en gras sont-ils utilisés pour nommer ?
montrer ? préciser ?**
Classez ces mots dans le tableau.
Mme Dumas : Ah, **cet** ordinateur !
Mme Dumas : Regarde **ces** baskets rouges...
Ou alors, **cette** casquette !
Mélanie : J'ai trouvé deux radios-réveils sympas :
ce modèle. Il y a aussi **cet** autre modèle.

LES ADJECTIFS DÉMONSTRATIFS

Masculin singulier	Féminin singulier	Masculin et féminin pluriel
...		
Devant une voyelle ou *h* ...	...	...

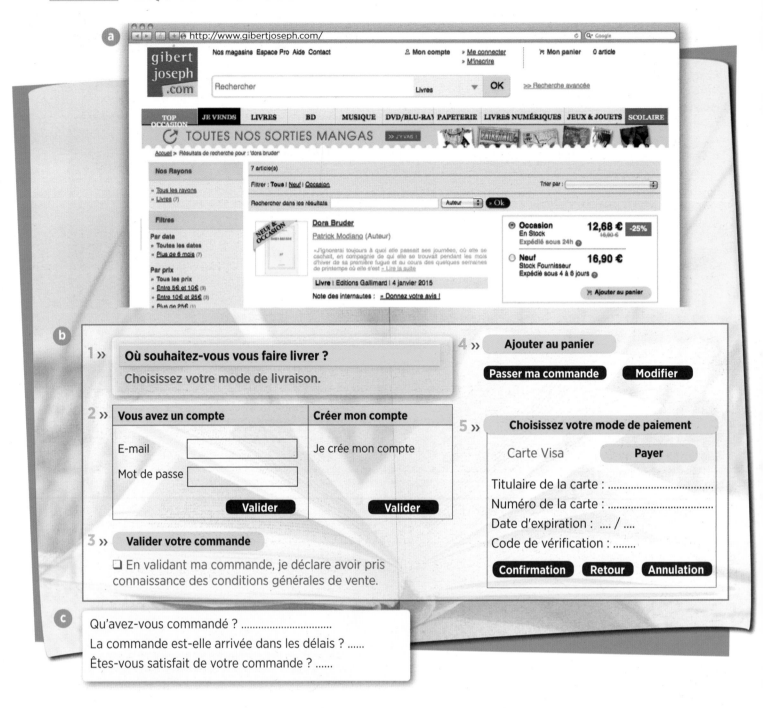

Commander sur internet

1. Identifiez les trois documents. Quel document correspond à :

a. des opérations d'achat en ligne : ...

b. une page d'un site de vente en ligne : ...

c. une enquête de satisfaction : ...

2. Regardez le document a. Où devez-vous cliquer pour :

a. chercher un livre ?

b. vendre un livre ?

c. acheter du papier et un stylo ?

d. trouver une bande dessinée ?

e. trouver un DVD pas cher ?

3. Répondez.

a. Quel est le livre proposé sur ce site ?

b. Quel est son auteur ?

c. Combien coûte le livre neuf ?

d. Est-ce qu'on peut acheter le livre à un meilleur prix ?

e. Peut-on avoir le livre après-demain ?

4. Regardez le document b. Remettez dans l'ordre les opérations d'achat.

5. Qui envoie le document c. ? À qui ? Pourquoi ?

Faire un achat chez un commerçant – payer

6. Complétez avec les mots de l'encadré.

a. Il a payé sa baguette de pain avec ... de 10 euros.
La vendeuse lui a rendu ... de 5 euros et quatre ... de 1 euro.
b. Pour payer sa nouvelle voiture, il a fait un ... de 8 000 euros.
c. Il a retiré de l'argent au distributeur de billet avec sa ... .
d. Pour valider son achat par internet, elle a tapé son numéro ... .
e. Pour payer l'addition au restaurant, il a donné sa carte bancaire à la serveuse et il a tapé son ... .

un billet	une pièce
un chéquier	un chèque
une carte bancaire	un code

7. Regardez ces situations d'achat. Imaginez et jouez ces scènes à deux.

Réfléchissons... L'interrogation

• Lisez le document c. Posez les questions **différemment**, comme dans l'exemple.
Observez la construction de l'interrogation.
Exemple : *Qu'avez-vous commandé ? → Vous avez commandé quoi ? / Qu'est-ce que vous avez commandé ?*
La commande est-elle arrivée dans les délais ? → ...

• **Posez les questions suivantes en utilisant :**
– la forme avec *est-ce que...* ;
– la forme avec inversion du sujet.
a. Vous faites des achats par internet ? → ...
b. Vous payez souvent par carte bancaire ? → ...
c. Les Français paient souvent par chèque ? → ...
d. En France, tous les commerçants acceptent les billets de 500 € ? → ...

N° 74
8. Écoutez. Trouvez ci-contre la photo correspondant à la scène. Comparez avec vos productions. Pour chaque scène, complétez le tableau.

	1.	2.	3.
Qu'est-ce qu'on veut payer ?	...	...	...
Comment on paie ?	...	...	...
Quel est le problème ?	...	...	...

Apprenons à conjuguer...

• **Complétez la conjugaison des nouveaux verbes.**

ACHETER	PAYER	VENDRE
j'achète	je paie	je vends
tu ...	tu ...	tu ...
il / elle ...	il / elle ...	il / elle ...
nous achetons	nous payons	nous vendons
vous achetez	vous ...	vous ...
ils achètent	ils / elles paient	ils / elles ...

• **Observez les changements de prononciation de l'avant-dernière syllabe du verbe *acheter*.**
Quels autres verbes ont les mêmes changements ?

ⓘ Point infos

PAYER EN FRANCE

L'**euro** est la monnaie de la France et de 18 pays d'Europe.
Pour un achat de moins 10 €, on paie souvent en espèces (en liquide). Au-dessus, on paie par carte bancaire ou par chèque. Les commerçants n'aiment pas beaucoup les gros billets. En France, on voit très peu de billets de 100 ou de 500 €. Dans beaucoup de pays d'Europe comme l'Allemagne ou le Danemark, on n'utilise plus le chèque. En France, 14 % des achats sont payés par chèque.

Villa Marie-Claire | Comment je m'habille ?

 N° 14   N° 75

1. **Li Na :** ...une soirée habillée c'est une soirée habillée ! Il faut mettre des bijoux aussi.

2. **Li Na :** Le chemisier va bien avec le pantalon, mais ce n'est pas assez habillé.

3. **Mélanie :** Elle n'est pas trop courte ?
   Li Na : Non, elle va bien.

Essayer un vêtement

1. Regardez ou écoutez la séquence 14. Associez les extraits et les photos.

2. Choisissez la bonne phrase.
a. 1. Mélanie essaie des vêtements parce qu'elle doit aller à une fête.
2. Mélanie s'habille pour sortir en ville.
b. 1. Li Na pense que Mélanie doit mettre un pantalon et un chemisier.
2. Li Na pense que Mélanie doit mettre une robe.
c. 1. Mélanie adore mettre une robe.
2. Mélanie aime les vêtements décontractés.
d. 1. Li Na trouve que la robe ne va pas bien.
2. Li Na pense que les bijoux vont bien avec la robe.
e. 1. Mélanie pense que les bijoux font trop habillés.
2. Mélanie est très à l'aise avec des bijoux.

3. Réécrivez les phrases suivantes en utilisant le mot entre parenthèses.
Exemple : a. Comment tu trouves ce pantalon ?
a. Qu'est-ce que tu penses de ce pantalon ? *(trouver)*
b. Il faut essayer la robe. *(mettre... pour voir)*
c. La robe est trop courte. *(longue)*
d. Je ne suis pas très à l'aise en robe. *(se sentir)*
e. Il faut mettre des bijoux. *(devoir)*
f. On porte plutôt des colliers longs. *(mettre)*

Les sons [f] et [v]

 N° 76

• Répétez.
Conseils à un ami déprimé
Il faut **v**oyager...
Il faut **v**enir chez moi...
Il faut **v**oir tes amis...
Il faut **f**aire du **v**élo...
Il faut **v**isiter la **F**inlande...

Apprécier

4. Finissez les phrases en utilisant *très, trop, assez* et *ne... pas assez*.
a. Avec cette robe, je ne peux pas marcher, ... *(longue)*.
b. Je peux mettre cette robe pour une soirée habillée, ... *(longue)*.
c. Je ne mets pas ce pull en hiver, ... *(chaud)*.
d. Tous mes amis aiment mon pull Lacoste, ... *(beau)*.

Exprimer la nécessité

 5. En petit groupe, continuez les phrases en utilisant les expressions.

a. *devoir* + verbe à l'infinitif
Pour apprendre le français, on doit avoir un bon dictionnaire, on doit...
b. *il faut* + nom
Pour une soirée réussie, il faut des amis sympas, il faut...
c. *il faut* + verbe à l'infinitif
Pour être en bonne santé, il faut...

Décrire un vêtement

7. Décrivez la mode automne-hiver. Vocabulaire page 101
Elle porte... Il porte...

Réfléchissons... Apprécier

• D'après le sens, complétez avec *trop, assez, ne ... pas assez*.
a. Je ne peux pas acheter cette robe Dior. Elle coûte 5 000 €. Elle est ... chère pour moi.
b. Cette jupe n'est pas chère. Mais je ne l'aime pas. Elle ... est ... belle.
c. Je vais acheter ce manteau. Il est ... chaud pour l'hiver.

Décrire des couleurs

6. Associez les mots à une couleur.
a. le ciel par beau temps   **1.** blanc
b. le ciel quand il pleut   **2.** bleu
c. le soleil à midi   **3.** gris
d. le coucher du soleil   **4.** jaune
e. la nuit   **5.** noir
f. une forêt   **6.** rouge
g. une belle plage   **7.** vert

8. Répondez au message ci-dessous. Un couple d'amis français résidant dans votre pays vous demande conseil.

Objet : Besoin d'aide
De : lydia_et_mat@icloud.com

Chère... (Cher...),
Nous avons un petit problème. Peux-tu nous aider ?
Nous sommes invités à un mariage et nous ne savons pas comment nous habiller. Quelles sont les habitudes de ton pays ? Lydia doit-elle porter un chapeau ? Et moi, je dois mettre un costume ?
Merci de ta réponse.
Lydia et Mathieu

Êtes-vous un consommateur responsable ?

1 **Quand vous achetez des légumes au supermarché...**
a. vous regardez s'ils sont bio.
b. vous ne regardez pas.

2 **Quand vous achetez un produit...**
a. vous regardez d'où il vient.
b. vous ne regardez pas d'où il vient.

3 **Quand un nouveau produit technologique sort...**
a. vous attendez.
b. vous achetez tout de suite.

4 **Quand vous achetez un nouveau téléviseur...**
a. vous comparez les prix avec d'autres téléviseurs.
b. vous achetez le plus beau.

5 **Au supermarché, vous prenez...**
a. les produits écrits sur votre liste.
b. les produits de votre liste et d'autres produits.

6 **Votre voiture consomme...**
a. moins de 8 litres d'essence aux 100 km.
b. plus de 8 litres.

7 **Vous achetez vos vêtements...**
a. dans une boutique.
b. sur internet.

8 **Pour aller à votre travail...**
a. vous cherchez un covoiturage
ou vous prenez le bus.
b. vous prenez votre voiture.

Comptez vos points.
Si vous avez 5 a ou plus, vous êtes un consommateur responsable.
• Vous achetez des produits bons pour votre santé.
• Vous faites attention à l'environnement.
• Vous n'oubliez pas les petits producteurs.
• Vous faites attention à votre budget.

Parler de consommation

1. Par deux, faites le test *Êtes-vous un consommateur responsable ?*
Donnez votre avis sur le résultat.

2. Complétez avec les mots de l'encadré.
a. Pour faire une tarte aux pommes, il faut un ... de pommes, 200 ... de sucre,
un quart de ... de lait et deux œufs.
b. Ma nouvelle voiture ne consomme pas beaucoup : 6 ... aux cent ... .
c. Au restaurant, elle a commandé un ... de vin et une demi-... d'eau minérale.
d. De Paris à Bordeaux, il y a 580 ... .
e. Pour déjeuner, il a acheté une saucisse et une ... de frites.
f. Mathilde est très grande. Elle fait 1 ... 80.

• un kilomètre – un mètre
• un kilo – un gramme
• un litre – un demi-litre – un quart de litre
• une bouteille – un verre – une barquette

UN PROBLÈME À LA CAISSE
Extrait du film *Le Coût de la vie*

Dans un supermarché. Une cliente arrive à la caisse avec ses achats.

La caissière : 112 euros 40, s'il vous plaît.

La cliente : En carte.

La caissière : Ah, je suis désolée, la banque refuse la transaction.

La cliente : Ah bon ! Comment ça se fait ?

La caissière : *(Elle regarde son écran)* Carte refusée.

La cliente : Ils m'ont annulé ma carte ! Alors, là, ils sont géniaux ! *(Elle ouvre son porte monnaie)*... Alors, on va payer en liquide. Je regarde combien j'ai... 22 ; 23 ; 23,60... *(À la caissière)* Vous m'aidez... Alors, le riz, le sucre, les pâtes, je garde. Oh mince[1] ! Les quenelles[2]. J'avais tellement envie de quenelles ! C'est cher, les quenelles ?

La cliente suivante : Vous pouvez vous dépêcher, s'il vous plaît ?

La cliente : *(Elle se moque de l'autre cliente et commence à trier ses achats)* Bon, alors les carottes, on va les donner à madame parce que ça rend aimable. On va lui donner aussi les cornichons pour son ulcère[3]. Et puis voilà. La viande, ça sera pour un autre jour et puis vous me dites combien ça fait, si ça dépasse 23,60.

Le Coût de la vie, 2002, © Les Films des Tournelles, film de Philippe Le Guay (avec Vincent Lindon et Fabrice Luchini)

1. expression de surprise
– 2. préparation à base de poisson ou de viande, d'œufs et de farine –
3. maladie de l'estomac

Payer

3. Lisez l'extrait du film *Le Coût de la vie*. Approuvez ou corrigez les phrases suivantes.

a. La cliente veut payer par carte bancaire.

b. La caissière n'accepte pas les cartes bancaires.

c. La cliente doit payer en espèces.

d. La cliente a assez d'argent pour payer ses achats.

e. La cliente suivante est aimable.

4. Associez les expressions qui ont le même sens.

a. la transaction	**1.** Combien ça coûte ?
b. Comment ça se fait ?	**2.** Pourquoi ?
c. en liquide	**3.** Je prends.
d. Je garde.	**4.** le paiement par carte
e. Combien ça fait ?	**5.** en espèces

 5. Préparez et jouez la scène à trois.

Vous avez invité des amis au restaurant. À la fin du repas, vous demandez l'addition mais vous avez oublié votre portefeuille et votre carte bancaire.
Vous vous excusez.
Vos deux amis veulent payer...

Apprenons à conjuguer...

LES VERBES EN *-YER* AU PRÉSENT
• Revoyez la conjugaison de *payer* (page 101).
• Trouvez la conjugaison d'*essayer* et d'*envoyer*.

ESSAYER	ENVOYER
j'essaie	j'envoie
tu ...	tu ...
il / elle ...	il / elle ...
nous ...	nous ...
vous essayez	vous ...
ils / elles ...	ils / elles ...

Dans le film *Le Coût de la vie*, Fabrice Luchini joue le rôle d'un homme qui fait tout pour éviter de payer.

Dans cette leçon, vous allez faire un cadeau original à une personne de votre choix.
Vous allez aussi apprendre à remercier quand on vous fait un cadeau.

1 Choisissez la personne et l'occasion.

1. À qui allez-vous offrir votre cadeau ?
- Une personne de votre famille.
- Une amie ou un ami.
- Une étudiante ou un étudiant de la classe.
- Un professeur.
- Une autre personne (une connaissance, une personnalité politique ou artistique).
- Une personne imaginaire (Astérix, Spiderman...).

2. À quelle occasion offrez-vous votre cadeau ?
- Un anniversaire.
- Un mariage.
- Une réussite à un examen.
- Une réussite professionnelle.
- La fin d'un cours, d'un stage, d'un séjour.
- Une autre occasion.

2 Choisissez et personnalisez votre cadeau.

3. Quel cadeau allez-vous offrir ?
- Un vêtement (un tee-shirt, une casquette, un pull).
- Un objet pour la maison (une tasse, un tablier de cuisine, un coussin).
- Un album de photos, un calendrier, un poster, une affiche.

4. Écrivez quelques mots pour personnaliser votre cadeau.

« *Bon anniversaire !* »

« *Bonne année !* »

« **Dix ans d'amitié !** »

« *En souvenir d'une belle soirée* »

JET SET
LE JOURNAL À PAILLETTES — DIJON

1er journal people — Édition spéciale

Carole fête ses 20 ans

cadeaux.com

Préparez quelques mots pour offrir le cadeau.

5. Lisez le petit discours ci-contre. Répondez.
a. Qui fait le discours ?
b. À qui ?
c. À quelle occasion ?
d. Comment la satisfaction est-elle exprimée ?
e. Comment le cadeau est-il présenté ?

6. Écoutez ce petit discours. Répondez aux questions de l'activité 5.
N° 77

7. Écrivez quelques phrases pour offrir votre cadeau.

Préparez quelques mots de remerciements.

8. Dans le discours ci-contre, recherchez comment la personne :
a. remercie ;
b. dit qu'elle apprécie le cadeau ;
c. dit qu'elle apprécie ses amis.

9. Écoutez. Ségolène fait un petit discours de remerciement. Répondez.
N° 78

a. Ségolène parle à quelle occasion ?
b. Qui est Arnaud ?
c. Est-ce qu'ils ont reçu beaucoup de cadeaux ?
d. Où vont-ils aller ?

10. Vous avez reçu un cadeau. Écrivez quelques mots de remerciement.

> Chère Chantal et cher Jean-Pierre, je voudrais vous remercier.
> J'ai passé un magnifique séjour chez vous. J'ai découvert la vraie cuisine antillaise.
> J'ai aussi appris à danser la biguine.
> Vous avez été très gentils avec moi et aujourd'hui mon français est meilleur.
> Voici un petit cadeau. C'est une spécialité de ma région, au Pérou.

> Chers amis, je voudrais vous remercier pour ce cadeau très original. Vous avez fait le bon choix. Ce foulard me plaît beaucoup.
> Je voudrais dire aussi que j'ai été très contente d'avoir mes amis autour de moi pour mes quarante ans. J'ai connu Myriam et Caroline au collège, Pascal et Aurélie à l'université, François au bureau. J'espère que vous allez rester longtemps mes amis !

(i) Point infos
PETITS CADEAUX ENTRE AMIS ET COLLÈGUES DE TRAVAIL

En France, on offre un cadeau à ses amis :
– pour leur mariage (il y a souvent une liste de cadeaux souhaités par le couple), à leur anniversaire ou pour les fêtes de fin d'année ;
– quand on est invité chez eux. On peut alors apporter des fleurs, une bouteille, un livre ou un cadeau original. On peut aussi décider avec ses amis d'apporter le dessert ou un plat ;
– quand on revient d'un long voyage.
À un collègue de travail, on peut offrir un cadeau (souvent collectif) à l'occasion de son départ : départ à la retraite, départ pour une autre entreprise ou un autre service.
Quand on reçoit un cadeau, on l'ouvre et on dit quelques mots de remerciement.

MONTRER

• **Les adjectifs démonstratifs**

	Masculin	Féminin
Singulier	**ce** *ex. :* Donne-moi **ce** livre. **cet** devant voyelle ou *h* *ex. :* J'ai dormi dans **cet** hôtel.	**cette** *ex. :* Je voudrais avoir **cette** voiture.
Pluriel	**ces** *ex. :* Je connais **ces** étudiants et **ces** étudiantes.	

• **Les phrases présentatives**

Regardez cette maison. **C'est** la maison de madame Dumas.
Voici / **Voilà** la maison où habite Ludovic.

COMPARER

Aurélie	1 m 80
Estelle	1 m 75
Sabine	1 m 75
Sylvie	1 m 68

• **Les phrases comparatives**

Aurélie est plus grande qu'Estelle.
Sabine est aussi grande qu'Estelle.
Sylvie est moins grande que les autres.

• **Les phrases superlatives**

Aurélie est la plus grande.
Sylvie est la plus petite.

Attention : bon (bonne) → meilleur (meilleure)
Sabine est **meilleure** en anglais que Sylvie.
En sport, Aurélie est **la meilleure**.

• **Même / différent**

Estelle et Sabine ont **la même** taille.
Aurélie et Estelle ont des tailles **différentes**.

INTERROGER

On peut poser une question :
• **par l'intonation :** Tu vas au cinéma ce soir ?
• **avec la forme *est-ce que* :** Est-ce que tu vas au cinéma ?
• **par l'inversion du pronom sujet** (quand le sujet est un pronom) **:** Vas-tu au cinéma ?
• **quand le sujet du verbe est un nom, on utilise la construction :** Simon va-t-il au cinéma ?
Sarah fait-elle des études de droit ?

! Remarques :
• Quand la phrase interrogative commence par *où, quand, comment* et que le verbe n'a pas de complément, on peut utiliser les deux formes :
Où Simon va-t-il ? / Où va Simon ? (plus fréquente)
• Quand la phrase interrogative commence par *que* on utilise seulement la forme : Que fait Simon ?

APPRÉCIER

• Ce portable est **assez** joli. Il est **plutôt** pratique, mais il n'est pas aussi bon que le portable d'Olivier.
• **trop / assez / ne... pas assez**
Ce collier est **trop** cher. Il **n'**est **pas assez** joli. Je ne l'achète pas.
Je mets ce pull pour aller faire du ski. Il est **assez** chaud.
• **très / trop**
L'examen est **très** difficile mais Claire peut réussir.
Pour Bertrand, l'examen est **trop** difficile. Il ne peut pas réussir.

EXPRIMER LA NÉCESSITÉ

• *devoir* + verbe à l'infinitif
C'est l'anniversaire de Greg. Je **dois trouver** un cadeau.

• *il faut* + verbe à l'infinitif
Avec cette robe, **il faut mettre** des bijoux.

• *il faut* + nom
Pour aller à cette soirée, **il faut une robe** très habillée.

LA CONJUGAISON DES VERBES

Vendre	Payer	Essayer	Envoyer
je vends tu vends il / elle vend nous vendons vous vendez ils / elles vendent	je paie tu paies il / elle paie nous payons vous payez ils / elles paient	j'essaie tu essaies il / elle essaie nous essayons vous essayez ils / elles essaient	j'envoie tu envoies il / elle envoie nous envoyons vous envoyez ils / elles envoient
hier, j'ai vendu	hier, j'ai payé	hier, j'ai essayé	hier, j'ai envoyé

ACHETER ET PAYER

• **Demander un prix**
– Quel est le prix de ce téléphone portable ? / Combien coûte ce téléphone portable ? (Combien il coûte ?)
– Il coûte 30 euros. / Il fait 30 euros.
• **Payer**
– en espèces (en liquide) – un billet de 20 euros – une pièce de 1 euro – avoir la monnaie – rendre la monnaie
– par chèque – signer un chèque
– par carte bancaire – faire le code – un distributeur de billets
• **Acheter en ligne**
choisir – commander – confirmer la commande – annuler
• **Changer de l'argent**
changer 400 dollars en euros
• **Préciser une quantité**
un kilo de pommes de terre – 100 grammes de beurre – un litre de lait
un trajet de 20 kilomètres – ce garçon mesure 1 mètre 70

NOMMER LES VÊTEMENTS

Pour elle : une jupe (9), un chemisier (10), une robe
Pour lui : une chemise (1), un pantalon (2), une veste (3), un costume
Pour les deux : un manteau (8), un pull, des chaussettes, des chaussures (7), des bottes (11)
Les accessoires : un chapeau (4), un foulard (12), une écharpe, une cravate (5), une ceinture (6)
Les bijoux : des boucles d'oreille (13), un collier (14), un bracelet (15)

1. COMPARER

Comparez les avantages de ces deux hôtels.

L'hôtel de l'Atlantique est moins cher... mais...

	Hôtel de la Plage Beaulieu	Hôtel de l'Atlantique Arcachon
Prix (pour une semaine)	600 €	450 €
Distance de la plage	50 mètres	100 mètres
Climat (température moyenne en été)	28° C	21° C
Vue	+++	+
Service	+++	+++

2. MONTRER

Complétez.

Clémence montre des photos de vacances

J'ai passé mes vacances dans ... région.
J'ai dormi dans ... hôtel.
J'ai fait de la randonnée dans ... montagnes.
Je me suis promenée dans ... forêt.
Je me suis baignée dans ... lac.

3. APPRÉCIER

Réécrivez les explications entre parenthèses.
Utilisez *trop, assez, ne... pas assez*.

Exemple : a. ... parce qu'il est trop cher...

a. Je ne vais pas choisir ce cadeau parce qu(e)...
(Il est cher. – Il n'est pas original.)
b. Le club a annulé la sortie parce qu(e)...
(Les membres du club ne sont pas intéressés. –
Il fait froid.)
c. Je ne vais pas acheter cette robe.
(Elle est jolie mais elle est classique.)

4. DÉCRIRE DES VÊTEMENTS

**Elle décrit les vêtements
de son amie.
N° 79 Trouvez les erreurs.**

5. ACHETER ET PAYER

**Léo achète un radio-réveil. Voici ses questions
au vendeur. Trouvez les réponses dans l'encadré.**

a. Combien coûte ce radio-réveil ?
b. Vous n'avez pas moins cher ?
c. Je peux payer par chèque ?
d. Je vais payer par carte.
e. Vous pouvez faire un paquet cadeau ?

> **1.** C'est notre meilleur prix.
> **2.** D'accord. Faites votre code.
> **3.** 80 €.
> **4.** Pas de problème. On va faire ça.
> **5.** Désolé. Nous acceptons les espèces
> et les cartes.

6. EXPRIMER LA NÉCESSITÉ

**Que doivent-ils faire ? Donnez un conseil
à chacun.**

a. Élodie veut aller travailler en Australie.
b. Lucas se sent un peu seul à Paris.
c. C'est l'anniversaire de son amie française.
d. Il va faire une randonnée en traîneau dans le Jura
en hiver.
e. Elle est invitée à un dîner en blanc.

SE FAIRE
DES RELATIONS

1 **ENGAGER LA CONVERSATION**
- Interroger quelqu'un sur son activité
- Proposer une activité – refuser

3 **PARLER DE SES RELATIONS**
- Exprimer son intérêt
- Parler de ses amis

2 **PARLER DE SON TRAVAIL**
- Présenter une expérience professionnelle
- Exprimer la durée
- Parler des avantages d'une profession

4 **ÉCHANGER DES MESSAGES**
- Comprendre et écrire un message spécifique
- Comprendre un message téléphonique

PROJET

PRÉSENTER UNE PERSONNALITÉ
- Donner des informations sur la vie privée ou professionnelle d'une personne
- Donner des informations sur sa personnalité
- Présenter une personnalité à un public

Villa Marie-Claire

Li Na et Jean-Louis font connaissance

N° 15   N° 80

1. **Li Na :** Je vous présente Ludovic Dubrouck.
   Jean-Louis : Enchanté !

2. **Jean-Louis :** Une coupe de champagne ?
   Li Na : Je vous remercie.

Interroger quelqu'un sur son activité

1. Regardez ou écoutez la séquence 15. Associez les textes et les photos.

2. Confirmez ou corrigez les phrases suivantes.
a. Jean-Louis est un collègue de Li Na.
b. Jean-Louis aime bien Li Na.
c. Jean-Louis invite Li Na à un spectacle.
d. Li Na accepte l'invitation.
e. Jean-Louis connaît bien Ludovic.

3. Cochez les sujets de conversation.
Jean-Louis et Li Na parlent...
❑ du travail.
❑ des collègues de Li Na.
❑ de musique.
❑ des loisirs de Li Na.
❑ des amis de Li Na.
❑ d'un concert.

4. À quelle photo de la scène correspondent ces phrases ?
a. Je vous présente Ludovic Dubrouck.
b. À votre séjour en France !
c. Je vous remercie.
d. Enchanté !
e. Je vous laisse.

Utiliser les pronoms compléments directs

5. Complétez ces deux passages de la scène. Observez les constructions. Que représentent les petits mots placés avant le verbe ?
*Exemple : Je **le** trouve intéressant. – le → le travail →*
*Je trouve **le travail** intéressant.*

Jean-Louis : Le travail n'est pas trop difficile ?
Li Na : Je ... intéressant.
Jean-Louis : Et les collègues ?
Li Na : Je ... bien. Et ils ... bien aussi, je crois.
Jean-Louis : Une coupe de champagne ?
Li Na : Je ... .

....

Jean-Louis : Ah ! Vous aimez la musique classique ?
Li Na : Je ... bien.
Jean-Louis : Vous connaissez la deuxième symphonie de Brahms ?
Li Na : Non, je ... .
Jean-Louis : On ... samedi à l'opéra Bastille. Je peux avoir des places. Je ... ?

6. Complétez avec un pronom.
Deux journalistes parlent d'une chanteuse célèbre.
– Tu connais Sylvia Monti ?
– Je ne ... connais pas personnellement.
– Mais tu écoutes ses chansons ?
– Je ... écoute et je ... aime beaucoup.
– Samedi, j'invite Sylvia chez moi avec des amis. Elle va ... chanter quelques chansons. Tu veux venir ... voir ?
– Mais elle ne ... connaît pas.
– Si, elle ... connaît. Elle a envie de ... rencontrer.

Réfléchissons... Les pronoms compléments directs

• Complétez le tableau.

Pour remplacer	Pronom	Exemple
je	me	Luc *me* connaît.
tu	...	Luc ... connaît.
il	...	Luc ... connaît.
elle	...	Luc ... connaît.
nous	nous	Luc ... connaît.
vous	...	Luc ... connaît.
ils / elles	...	Luc ... connaît.

Cas des verbes commençant par une voyelle
• Continuez comme dans le tableau ci-dessus.
Léa m'aime. – Léa ... aime. – ...

À la forme négative
Luc ne me connaît pas.
Léa... je ne la connais pas.

À la forme interrogative
Est-ce que Luc vous connaît ?
Est-ce que vous le connaissez ?

Proposer une activité – refuser

7. Jeux de rôle.

**a. Vous proposez à un(e) ami(e) de participer
à la journée Grand Siècle du château de Vaux-le-Vicomte.
Il / Elle accepte ou refuse.**
*Au château de Vaux-le-Vicomte, il y a... Est-ce que tu as
envie de venir... ?*
**b. Vous participez à cette journée. Vous engagez
la conversation avec une personne.**
*Comment vous vous appelez ? Vous êtes qui ?
Qu'est-ce que vous faites ?*
c. Vous présentez cette personne à un(e) ami(e).
Je vous présente...

Prononciation des phrases avec un pronom complément d'objet direct

**a. Le professeur vous pose des questions.
Répondez *oui* comme dans l'exemple.**
– Vous m'écoutez ?
– Oui, je vous écoute.
– Vous comprenez l'explication ?
– ...
N° 81

**b. Le professeur vous pose des questions.
Répondez *non* comme dans l'exemple.**
– Vous me comprenez ?
– Non, je ne vous comprends pas.
– Vous comprenez ce mot ?
– ...
N° 82

(i) Point infos

LES SUJETS DE CONVERSATION

En France, quand on rencontre une personne dans une soirée,
on peut parler de son pays, de sa ville, de ses voyages, de ses
loisirs. On peut aussi parler de son travail mais sans se donner
trop d'importance.
À table, un des sujets principaux est... la nourriture.
Mais on ne parle pas d'argent. Des questions comme : « Combien
vous gagnez ? Combien vous avez payé votre voiture ? » sont
impolies. On ne parle pas non plus de ses problèmes de santé et
quand on aborde la politique, il faut rester dans les généralités.

JOURNÉE GRAND SIÈCLE
Dimanche 21 Juin 2015

Vivez l'expérience du
Grand Siècle
au Château de
Vaux-le-Vicomte

Vivez la journée
d'une marquise
ou d'un marquis
du xviie siècle !
Louez un costume
d'époque.
Apprenez à danser
le menuet.
Faites des rencontres.

ILS ONT CHOISI DE TRAVAILLER À L'ÉTRANGER

75 % des étudiants français disent qu'ils ont envie de partir travailler dans un pays étranger. Pour beaucoup c'est seulement un rêve. Mais, chaque année, de plus en plus réussissent à partir. Voici quelques témoignages.

Phil, 28 ans

J'ai fait une formation de boulanger. Puis, j'ai eu envie de voyager. J'ai eu beaucoup de propositions : les USA, la Suisse, l'Australie… Un vrai luxe. J'ai finalement choisi l'Australie parce que j'aime les grands espaces. Depuis huit ans, je suis co-responsable d'une boulangerie-pâtisserie à Melbourne.

Le vignoble Clos Henri en Nouvelle-Zélande a été créé en 2000 par un Français : Jean-Marie Bourgeois.

Émilie, 30 ans

Je suis au Canada anglophone depuis l'âge de 20 ans. D'abord, j'ai fait des petits boulots. J'ai été serveuse dans un restaurant et employée dans un hôtel. Aujourd'hui, je suis bilingue et j'ai trouvé du travail. Je suis secrétaire bilingue chez Total. Pour réussir à l'étranger, il ne faut pas partir pour l'argent. Il ne faut pas non plus vouloir vivre à la française. Si on part à l'étranger, c'est pour découvrir autre chose, rencontrer des gens, vivre de manière différente.

Alain, 45 ans

J'ai passé 4 ans à Taïwan dans l'agence d'une société française de transport. Au départ, cela n'a pas été facile. Les Taïwanais n'ont pas les mêmes méthodes de travail que nous. Ils sont plus formels. Mais ils sont très gentils et travailler avec eux a été très agréable. De plus, j'ai appris beaucoup de choses. J'ai un seul regret : je n'ai pas appris le chinois.

D'après « Enquête sur l'expatriation des Français » réalisée par la Maison des Français de l'Étranger (MFE).

Beaucoup de Français travaillent en Californie dans les studios d'animation. Pierre Coffin, co-réalisateur des dessins animés *Moi, Moche et Méchant* et *Les Minions*.

Présenter une expérience professionnelle

1. Lisez l'article. Approuvez ou corrigez les phrases suivantes.

a. L'article parle des travailleurs étrangers en France.

b. 75 % des étudiants partent travailler à l'étranger.

c. Aujourd'hui, plus que dans le passé, les jeunes partent travailler à l'étranger.

d. Avec le métier de Phil, c'est facile de trouver du travail à l'étranger.

e. Émilie a tout de suite trouvé un travail intéressant au Canada.

f. Pour travailler avec les Taïwanais, il faut d'abord comprendre comment ils travaillent.

2. Complétez le tableau.

	Phil	Émilie	Alain
Métier (profession)	…	…	…
Lieu de travail	…	…	…
Points positifs	…	…	…
Difficultés	…	…	…

3. En petit groupe, recherchez et présentez des professions en utilisant les verbes suivants.

Exemple : *a. Créer → Un architecte crée des maisons, des immeubles...*

a. Créer → ...
b. Vendre → ...
c. Faire → ...
d. Écrire → ...
e. S'occuper de → ...

Exprimer la durée

4. Lisez l'encadré « Réfléchissons... ». Relisez le document. Répondez.
a. Phil a 28 ans. Il est en Australie depuis 8 ans. À quel âge est-il arrivé en Australie ?
b. Émilie a 30 ans. Elle est arrivée au Canada à l'âge de 20 ans. Depuis combien de temps est-elle au Canada ?
c. Alain travaille chez International Transport depuis l'année 2000. Depuis combien de temps travaille-t-il dans cette entreprise ?
d. Alain est parti de Taïwan depuis 3 ans. Depuis quand est-il rentré en France ?
e. Pendant combien de temps il a travaillé à Taïwan ?

5. Trouvez la question.
a. – .... ? – Luigi habite en France depuis 20 ans.
b. – .... ? – Il travaille chez Florial depuis 2014.
c. – .... ? – Il vit avec Camille depuis 5 ans.
d. – .... ? – Leur fille est née le 1er janvier 2016.

Parler des avantages d'une profession

6. Lisez ce sondage.
a. Trouvez un métier qui correspond à chaque phrase.
Exemple : *être bien payé → une banquière – un chanteur célèbre*
b. Organisez un tour de table. Répondez à la question du sondage. Justifiez-vous.

Réfléchissons... Exprimer la durée

• **Observez et complétez.**
a. Pablo est espagnol. Il est arrivé à Paris en 2010.
→ – **Depuis quand** Pablo habite à Paris ?
  – Il habite à Paris **depuis** 2010.
→ – **Depuis combien de temps** Pablo habite à Paris ?
  – Il habite à Paris **depuis** ... ans.
b. Jean-Louis a commencé à travailler chez Florial en 2000.
→ – **Depuis** ... Jean-Louis travaille chez Florial ?
  – Il...
→ – **Depuis combien de temps** Jean-Louis travaille chez Florial ?
  – Il...

• **Comparez.**
– **Pendant combien de temps** Alain a travaillé à Taïwan ?
– Alain a travaillé à Taïwan **pendant** 4 ans.
Il travaille en France **depuis** son retour de Taïwan.

! N.B. : Quand *depuis* exprime une durée, c'est en relation avec un moment précis. *Pendant* exprime une durée en général.

Les marques du féminin

 N° 83

• **Écoutez et notez si on parle d'une femme ou d'un homme. Soulignez les marques du féminin.**

	1.	2.	...
On parle d'une femme.	✗ une étrangère *(2 marques)*		
On parle d'un homme.			
On parle d'un homme ou d'une femme.			

SONDAGE
Qu'est-ce qui est le plus important dans votre travail ?

► Être bien payé	57 %
► Faire un travail intéressant	50 %
► Avoir de bonnes relations avec les collègues	43 %
► Avoir un travail stable	37 %
► Avoir des responsabilités	27 %
► Faire un travail utile	19 %
► Travailler près de chez moi	14 %
► Avoir des horaires adaptés	7 %

Enquête TNS Sofres, « Les Français et le goût du travail », 2010.

D'après une enquête du magazine *Orientations*, les métiers préférés des jeunes Français sont : photographe, architecte, cuisinier et médecin.

Anne-Sophie Pic, chef cuisinier, dans son restaurant à Valence

Villa Marie-Claire | Un artiste connu

N° 16   N° 84

1. **Greg :** Tiens, regarde… Là, c'est Jeff Sigmund. Il me donne le prix.
   Mélanie : Tu lui as parlé ?
2. **Greg :** Voilà, ça s'appelle *Société de consommation*.
3. **Mélanie :** … Alors, ton expo à Lyon, comment ça s'est passé ?
   Greg : Plutôt bien. J'ai eu un prix !

13e biennale de lyon la vie moderne

10 sept. 2015 – 3 janv. 2016
biennaledelyon.com

LA BIENNALE DE LYON ART

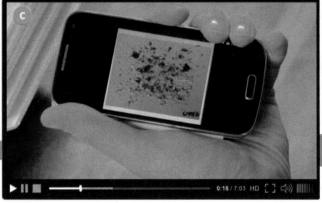

Exprimer son intérêt

1. Regardez ou écoutez la séquence 16. Associez les phrases et les photos.

2. Choisissez les bonnes fins de phrases.

a. À Lyon…
1. Greg est allé voir une exposition.
2. Greg a participé à une exposition.

b. À cette exposition…
1. Greg a demandé le prix d'un tableau.
2. Greg a reçu un prix pour un tableau.

c. Jeff Sigmund est…
1. un jeune artiste.
2. un artiste célèbre.
3. un ami de Greg.
4. un artiste apprécié des jeunes artistes.

d. Greg a fait un tableau…
1. avec des produits achetés au supermarché.
2. avec de la peinture.

e. Mélanie est intéressée…
1. par le tableau de Greg.
2. par les artistes célèbres.
3. par Greg.

Utiliser les pronoms compléments indirects

3. Complétez ce passage de la scène. Observez les constructions. Que représentent les petits mots placés avant le verbe ?
Exemple : Il me donne le prix. – **me** → *moi* → *Il donne le prix à* **moi**.
Greg : Tiens, regarde… Là, c'est Jeff Sigmund. Il … le prix.
Mélanie : Tu … as parlé ?
Greg : Mais bien sûr ! Je … connais.
Mélanie : Tu connais Jeff Sigmund ?
Greg : Bah oui… Qu'est-ce que tu crois ! Je …, il … . Je … mon travail.
Mélanie : Ça alors !
Greg : Il est très sympa avec les jeunes artistes. Il … des conseils… Il a bien aimé mon travail.
Mélanie : Tu … ?

4. Complétez avec un pronom complément indirect.
Conversation dans l'ascenseur de l'immeuble
– Vous connaissez les nouveaux locataires du 3ᵉ étage ?
– Pas beaucoup. Je … dis bonjour. Ils … répondent. C'est tout.
– La fille est plus sympa que le garçon.
– Elle … parle ?
– Oui, elle … demande des conseils. Je … donne les bonnes adresses du quartier. Ils ne sont pas d'ici. Ils viennent du Mexique. L'autre jour, elle … a montré des photos de sa ville.

5. Remplacez les mots soulignés par un pronom.

Monsieur Patient est chef du service marketing chez Florial. Les employés du service aiment bien M. Patient. Il donne des conseils à ses employés. Il raconte des histoires amusantes à ses employés. Il invite ses employés au restaurant. L'autre jour, pour son anniversaire, ils ont fait un cadeau à M. Patient. Ils ont offert les symphonies de Brahms à M. Patient. M. Patient adore les symphonies de Brahms.

Prononciation des phrases avec un pronom complément indirect

• **Répondez selon votre expérience.**
– Vous parlez français au professeur ?
– Oui, je lui parle français.
/ – Non, je ne lui parle pas français.
– …

N° 85

Réfléchissons… Les pronoms compléments indirects

• **Complétez par un pronom.**
– Greg connaît Jeff Sigmund ?
– Oui, il … connaît.
– Greg parle à Jeff Sigmund ?
– Oui, il … parle.

• **Avec quelle construction de verbe utilise-t-on le pronom indirect *lui* ?**

• **Complétez.**
– Léa **te** parle ? – Oui, elle **me** parle.
– Léa parle à Arthur ? – Oui, elle … parle.
– Léa parle à Emma ? – Oui, elle … parle.
– Léa vous parle ? – Oui, elle … parle.
– Léa parle à tes amis ? – Oui, elle … parle.

AUX FORMES INTERROGATIVE ET NÉGATIVE
– Léa téléphone à Arthur ?
– Non, elle **lui** téléphone pas.

! N.B. : quelques verbes qui se construisent avec un pronom complément d'objet indirect :

demander à…	envoyer quelque chose à…
parler à…	dire quelque chose à…..
répondre à…	donner quelque chose à….
écrire à…	

Parler de ses amis

6. Répondez à la question de l'article.

TÉMOIGNAGES

Pour vous qu'est-ce qu'un véritable ami ?

✦ Un véritable ami pense à moi pour mon anniversaire. Il me fait un cadeau ou il m'écrit un mail sympa.
Soline

✦ Les vrais amis, ce ne sont pas les « amis » des réseaux sociaux. J'ai une véritable amie. Je lui parle de mes problèmes. Elle m'écoute…

Pour s'exprimer

parler – dire – expliquer – écouter – demander – répondre – téléphoner – écrire – envoyer – donner – apporter

1

Chers voisins,
Je suis Louise Lacour, votre nouvelle voisine, installée depuis la semaine dernière.
Pour faire connaissance, j'ai le plaisir de vous inviter à prendre un verre !
Chez moi, 2ᵉ étage gauche.
Vendredi 14 septembre, à partir de 19 h.
J'espère vous voir nombreux !

5

12:56

Laure 0733874962

Salut Florent,
J'ai vu à la télé ton documentaire sur Notre-Dame des Landes.
Il me plaît beaucoup.
Interviews et commentaires sont parfaits.
Je te félicite.
Laure

Écrire un SMS

2

Chers amis,
Je vous souhaite de joyeuses fêtes de Noël.
Recevez aussi mes meilleurs vœux pour la nouvelle année.

Nouveau message

Envoyer Discussion Joindre Adresses Polices Couleurs Enr. brouillon

À : marie-75@gmail.com

Objet : RE : DVD ?

De : t.gaillard@orange.fr

Signature : Aucune

Navigateur de photos Afficher

Marie, je suis vraiment désolé. Oui, j'ai toujours ton DVD d'*American Sniper*. Je te le rapporte mardi à la fac.
Excuse-moi !
Thomas

3

Nouveau message

Envoyer Discussion Joindre Adresses Polices Couleurs Enr. brouillon

Navigateur de photos Afficher les modèles

À : camille_loiret@icloud.com ; simon.lechat@yahoo.fr

Objet : Merci !!

De : guillaume_heidt@gmail.com

Signature : Aucune

Ségo et moi, on vous remercie de votre aide.
J'espère que vous n'êtes pas trop fatigués.
À bientôt pour fêter notre installation dans notre nouvel appart !
Guillaume

7

f Chercher des personnes, des lieux ou d'autres choses   Accueil Retrouver des amis

Anne-Lise et 4 autres personnes ✚ ✎   + Nouveau message

Anne-Lise   💬 23/01/2016 11 :42
Je propose un brunch demain dimanche, aux halles, à 12 h 30. ☺
Qui vient ?
Anne-Lise

4

Julie & Edouard
Julie Divol et Edouard Roumieux sont heureux de vous inviter à fêter leur PACS, le 15 mars à 19 h 30 !
Au restaurant du tennis club – 452 chemin des merles

Comprendre un message spécifique

1. Lisez les messages. Pour chacun, complétez le tableau.

Type de message	Qui écrit ?	À qui ?	Pour exprimer quoi ? (féliciter – informer – inviter – souhaiter– remercier – s'excuser)	À quelle occasion ?
1. Petite affiche	Louise Lacour	à ses voisins	...	...
...	...	...	...	...

2. Dans les messages, trouvez des expressions pour dire :

a. Pour vous rencontrer... **d.** Bravo !
b. Je suis content(e) **e.** Merci !
c. Je voudrais... **f.** Désolé(e) !

Comprendre un message téléphonique

N° 86

3. Écoutez ces messages téléphoniques. Complétez le tableau.

Qui parle ?	Sylvie	Olivier	Tante Marie-Laure
Il / Elle appelle qui ?	...	...	...
Pour exprimer quoi ?	...	...	...
À quelle occasion ?	...	...	...

Écrire un message spécifique

4. Rédigez un message pour les situations suivantes :
a. Vous écrivez une carte ou un message de vœux de Nouvel An pour une amie française ou pour votre voisin(e).
b. Un ami vous invite à son mariage. Vous ne pouvez pas y aller. Exprimez des remerciements, des excuses et des félicitations.

Apprenons à conjuguer...

LE VERBE *PLAIRE*
• **Observez ces phrases. Trouvez d'autres exemples.**
a. Li Na **plaît** à Ludovic.
→ Mélanie...
b. Paris **plaît** à Ludovic.
→ La série *Plus belle la vie*...
c. Les chansons de Céline Dion vous **plaisent** ?
→ Le film...

• **Complétez la conjugaison.**
a. Au présent.

PLAIRE	
je plais	nous plaisons
tu ...	vous ...
il / elle ...	ils / elles plaisent

b. Au passé.
j'ai plu à mon chef – tu as plu à Greg – ...

ⓘ Point infos

LES VŒUX DU JOUR DE L'AN

Les vœux du jour de l'An sont une tradition. C'est l'occasion de rester en contact avec les membres de sa famille ou avec ses amis et des connaissances.
On envoie de moins en moins de cartes par la poste mais plutôt par internet. Ou bien, on fait un courriel personnalisé.
On peut présenter ses vœux un peu avant Noël : « Je vous souhaite de joyeuses fêtes et une heureuse année... ». Mais on le fait plutôt dans les premiers jours de janvier : « Je vous souhaite une heureuse année ... une bonne santé... beaucoup de succès... ».

Dans cette leçon, vous allez préparer la présentation d'une personnalité.
Vous pouvez :
– en petit groupe, élire la personnalité de l'année et la présenter ;
– choisir une personne francophone de votre ville, l'inviter en classe
  pour une rencontre et la présenter ;
– choisir un personnage de roman, de théâtre, de bande dessinée, etc.

ARTUR AVILA

▌ Petit génie des maths

Quand on le voit, on pense à une star du cinéma ou du football mais ce jeune Franco-Brésilien est un petit génie des mathématiques. En 2014, il a reçu la médaille Fields, la plus haute récompense internationale en mathématiques.

Né en 1979 à Rio de Janeiro, Artur Avila participe à 16 ans aux Olympiades internationales de Toronto et gagne la médaille d'or. À 19 ans, il commence une thèse à l'IMPA (Institut des Mathématiques Pures et Appliquées) de Rio où il est aujourd'hui chercheur. Très vite, il est invité dans les grands centres de recherche du monde et en 2003, il entre au CNRS, le Centre nationale de la recherche scientifique de Paris. Il va être, en 2008, le plus jeune directeur de recherche de ce centre.

Artur Avila est un scientifique original. Il vit entre Paris et Rio. Il a écrit plus de cinquante articles ou livres, mais les conférences et les publications ne sont pas sa tasse de thé. Il préfère les discussions au bureau ou au café avec ses collègues. Pour écrire des articles, il les invite à Rio : « J'aime faire des maths à la plage. On marche, on réfléchit, on échange. » D'abord, prendre son temps pour réfléchir. Écrire, quand on a compris.

D'après Charline Zeitoun, « Artur Avila, médaille Fields 2014 », *Le Journal du CNRS*, 18 août 2014.

1 Observez la présentation d'une personnalité.

1. Lisez l'article sur Artur Avila. Donne-t-il des informations sur les sujets suivants ? Notez ces informations.

• Sa vie personnelle
a. nom et prénom
b. date et lieu de naissance
c. parents
d. études
e. lieux de résidence
f. sa personnalité (son caractère)
g. goûts, loisirs
h. vie familiale

• Sa vie professionnelle
a. profession ou activité
b. postes occupés
c. publications
d. prix
e. particularités

2 Choisissez votre personnalité.

2. Lisez la présentation du projet au début de la leçon. Choisissez votre personnalité.
Vous pouvez travailler en petit groupe ou seul.

3 Préparez sa biographie.

3. Recherchez et classez des informations sur la vie personnelle et professionnelle de votre personnalité. Utilisez internet ou interrogez votre personnalité.
1979 : naissance à Rio de Janeiro. Parents : ...
À 16 ans : participation...

4

Parlez de son caractère et de sa personnalité.

4. a. Reformulez les phrases suivantes en utilisant les mots de l'encadré.

a. Elle est très intelligente.

b. Il est décontracté.

c. Avec elle, on apprend beaucoup.

d. Il est différent des autres.

e. Elle est aimable avec les autres.

f. Il est bon avec les gens.

g. Elle est excellente professionnellement.

h. Il aime plaisanter.

i. Elle est toujours joyeuse.

j. Il a beaucoup d'activités.

> à l'aise – amusant – compétent – dynamique – génial – gentil – heureux – intéressant – original – sympathique – unique

b. Caractérisez votre personnalité.

Vous pouvez aussi parler de ses goûts et de ses préférences.

Elle aime voyager.... Aux conférences, il préfère les discussions au café...

5

Présentez votre personnalité.

N° 87

5. Écoutez. L'économiste Esther Duflo va faire une conférence dans une université. Une professeure la présente.

a. Complétez les formules du début et de la fin de la présentation.

Bonsoir, tout d'abord...

J'ai le plaisir...

Voilà... je laisse...

b. Les phrases suivantes sont-elles vraies ou fausses ?

1. Esther Duflo est née aux États-Unis.

2. Elle a fait des études supérieures d'économie.

3. Elle a fait un doctorat au MIT (Massachusetts Institute of Technology).

4. Elle est très célèbre dans le monde de l'économie.

5. Aujourd'hui, elle travaille pour le président des États-Unis.

6. Écrivez votre présentation orale ou écrite.

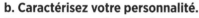

Les magazines font souvent le portrait de personnalités.

Eliott Sarrey a reçu le prix « Incubateur » de Google.

Esther Duflo, économiste, travaille sur le problème de la pauvreté dans le monde.

UTILISER LES PRONOMS COMPLÉMENTS REPRÉSENTANT DES PERSONNES

Les pronoms sont utilisés pour désigner les interlocuteurs ou pour éviter une répétition.

1. Les pronoms objets directs
Ils représentent un complément du verbe sans préposition. Ils se placent avant le verbe.

Personnes	je	tu	il	elle	nous	vous	ils / elles
Pronoms compléments objets directs	me	te	le / la l' (devant une voyelle ou *h*)		nous	vous	les

– Mathieu connaît Lucas ? – Oui, il connaît **Lucas**. → Il **le** connaît.
– Mathieu cherche **Lucie** ? – Il **la** cherche. – Il **me** cherche ? – Oui, il **vous** cherche.

• **Au passé**
– Mathieu a cherché **Lucie** ? – Oui, il **l'**a cherchée.
– Mathieu **m'**a cherchée ? – Oui, il **vous** a cherchée.

• **À la forme négative**
– Mathieu voit Lucie ? – Non, il ne **la** voit pas.
– Mathieu a trouvé Lucie ? – Non, il ne **l'**a pas trouvée.

! **N.B. :** *le, la, les* peuvent aussi représenter des choses.

2. Les pronoms objets indirects
Ils représentent un complément du verbe introduit par la préposition *à*. Ils se placent avant le verbe.

Personnes	je	tu	il / elle	nous	vous	ils / elles
Pronoms compléments objets indirects	me	te	lui	nous	vous	leur

– Lucas parle à Lucie ? – Oui, il parle **à Lucie**. → Il **lui** parle.   – Il **vous** parle ? – Oui, il **me** parle.

• **Au passé**
– Lucas a écrit **à ses amis** ? – Oui, il **leur** a écrit.

• **À la forme négative**
– Mathieu a parlé **à Lucie** ? – Non, il ne **lui** a pas parlé.

! **Remarque :** Quand le verbe n'exprime pas une idée de communication, on utilise les pronoms du paragraphe 3.
– Tu penses **à Lucie** ? – Oui, je pense **à elle**.

3. Les pronoms qui représentent un complément introduit par une préposition autre que *à* (*avec, sans, pour, après*, etc.). Ils se placent comme le complément qu'ils représentent.

Personnes	je	tu	il	elle	nous	vous	ils	elles
Pronoms compléments	moi	toi	lui	elle	nous	vous	eux	elles

– Tu déjeunes **avec Lucas** ? – Oui, je déjeune **avec lui**.
– Elle est partie **après ses amis** ? – Oui, elle est partie **après eux**.

EXPRIMER LA DURÉE

1ᵉʳ septembre 2005
Éric arrive chez Florial.

1ᵉʳ septembre 2015
On interroge Éric.

• **À partir d'une date**
– **Depuis quand** tu travailles chez Florial ?
– Je travaille **depuis** le 1ᵉʳ septembre 2005.

• **Sans indication de date**
– **Depuis combien de temps** tu travailles chez Florial ?
– Je travaille **depuis** dix ans.
– **Pendant combien de temps** tu as travaillé chez Florial ?
– J'ai travaillé **pendant** dix ans.

LA CONJUGAISON DES VERBES

Croire	Vivre	Plaire[1]
je crois tu crois il / elle croit nous croyons vous croyez ils / elles croient	je vis tu vis il / elle vit nous vivons vous vivez ils / elles vivent	je plais tu plais il / elle plaît nous plaisons vous plaisez ils / elles plaisent
hier, j'ai cru	hier, j'ai vécu	hier, j'ai plu

[1] le verbe *plaire* se construit souvent avec un pronom. *Ex. :* Je lui plais. – Tu me plais. – Elle nous plaît...

NOMMER LES PROFESSIONS

• **Les catégories**
un employé – un ouvrier – un cadre – un chef de service – un cadre supérieur – un directeur – un chef d'entreprise
• **Le masculin et le féminin des noms de profession**
– **Noms de profession avec deux formes**
-e à la fin du mot : un employé / une employée – un avocat / une avocate
-er / -ère : un boulanger / une boulangère   **-eur / -euse :** un vendeur / une vendeuse
-teur/ -trice : un directeur / une directrice   **-ien / -ienne :** un musicien / une musicienne
– **Noms de profession avec la même forme au masculin et au féminin**
un / une secrétaire – un / une chef d'entreprise – un / une journaliste – un / une architecte – un / une graphiste
– **Noms de profession sans forme au féminin**
un médecin / une femme médecin
– **Nouvelles formes féminines pour certaines professions**
Elles sont employées au Québec et, en France, dans certains milieux professionnels :
un professeur / une professeure – un auteur / une auteure – un écrivain / une écrivaine – un policier / une policière

COMMUNIQUER

• **Verbes qui expriment une idée de communication ou d'échange**
parler à... – demander à... – répondre à... – écouter quelqu'un... – dire quelque chose à quelqu'un... – écrire à... – envoyer quelque chose à... – recevoir quelque chose de... – donner quelque chose à... – faire un cadeau à...

• **Formules fréquentes dans les messages**
– Je suis content(e) – satisfait(e) – heureux, heureuse...
– Excusez-moi... – Je suis désolé(e)... – Je regrette...
– Bravo... – Je vous félicite...
– Merci... – Je vous remercie...
– Je vous souhaite... – J'espère...

1. UTILISER LES PRONOMS COMPLÉMENTS

Complétez avec des pronoms comme dans l'exemple.

Devant une bijouterie

Elle : Comment tu trouves cette bague ? Elle *te* plaît ?

Lui : Oui, elle … plaît beaucoup. Le prix est indiqué ?

Elle : Non, je ne … vois pas.

Lui : On entre, on trouve une vendeuse et on … demande le prix ?

Elle : D'accord

(Ils entrent dans le magasin.)

Elle : *(à la vendeuse)* Je voudrais le prix d'une bague.

La vendeuse : Vous pouvez me … montrer ?

Elle : C'est la première, à droite.

La vendeuse : Elle fait 8 000 euros. Elle … intéresse ? Vous voulez … essayer ?

Elle : Pas maintenant. Avec mon mari, il … faut réfléchir.

2. ÉVITER DES RÉPÉTITIONS

Remplacez les mots soulignés par un pronom.

Lucas est amoureux d'Alexia. Il appelle souvent Alexia. Il envoie des textos à Alexia toutes les cinq minutes. Elle ne répond pas à Lucas.
Lucas connaît les amis d'Alexia. Il invite les amis d'Alexia chez lui. Il parle d'Alexia aux amis d'Alexia.

3. PARLER D'UNE PROFESSION

 Écoutez et répondez.
N° 88

a. Où travaille Vincent ? → …

b. Depuis quand il travaille ? → …

c. Jusqu'à quand ? → …

d. Qu'est-ce qui est positif ? → …

e. Qu'est-ce qui est négatif ? → …

f. Combien il gagne ? → …

6. EXPRIMER SON INTÉRÊT

Un(e) ami(e) a participé au concours de chant *The Voice*. Vous lui demandez par courriel comment s'est passé le concours. Posez-lui cinq questions.
Vous pouvez aussi lui téléphoner et jouer la scène avec votre voisin(e).

4. EXPRIMER LA DURÉE

Lisez l'encadré ci-dessous.

a. Répondez aux questions.

1. Quand est née la fille de Charlotte ?

2. Pendant combien de temps Patrick et Charlotte ont habité ensemble avant leur mariage ?

3. Depuis combien de temps ils ont divorcé ?

b. Trouvez la question.

1. Patrick et Charlotte se connaissent depuis l'année 2000.

2. Ils ont habité ensemble pendant 13 ans.

> 2000 : Patrick fait la connaissance de Charlotte.
> 2002 : Patrick et Charlotte habitent ensemble.
> 2005 : Patrick et Charlotte se marient.
> 2010 : Patrick et Charlotte ont une fille.
> 2015 : Patrick et Charlotte divorcent.

5. EMPLOYER LES BONNES FORMULES DANS LES MESSAGES

Que dites-vous dans les situations suivantes ? Trouvez la formule dans l'encadré.

a. On vous fait un cadeau.

b. C'est le 1er janvier.

c. Vous n'avez pas été gentil avec un ami.

d. Votre amie a réussi à son examen.

e. Votre ami est arrivé au rendez-vous très en retard.

f. Votre amie est malade.

> Je t'excuse. Je le regrette.
> Je vous remercie. Je te souhaite d'aller mieux.
> Meilleurs vœux ! Je te félicite.

Concours de chant

the Voice
la plus belle voix

Animé par Nikos Aliagas et Karine Ferri
Jury : Zazie, Jennifer, Florent Pagny et Mika

ORGANISER
SES LOISIRS

1 PARLER DE SES LOISIRS
- Raconter des souvenirs
- Parler de ses loisirs

3 FAIRE DU SPORT
- Parler de la pratique d'un sport
- Présenter ses sports préférés

2 ALLER AU CINÉMA
- Comprendre un résumé de film
- Caractériser
- Définir
- Présenter un film

4 DONNER SON OPINION SUR UN SPECTACLE
- Comprendre des opinions sur un spectacle
- Donner une opinion

PROJET

CRÉER VOTRE PROGRAMME TÉLÉ
- Comprendre un programme de télévision
- Présenter brièvement une émission de télévision (type d'émission et sujet)

L'album photo de Marie-Claire

Quand j'avais 10 ans, j'allais en vacances en Auvergne, chez mon oncle. Le soir, il jouait de l'accordéon et chantait de vieilles chansons.

Londres – 1990. Je chantais dans une chorale. Un jour, nous avons fait un concert à l'Albert Hall. La salle était pleine.

NEW YORK CITY SOCCER CLUB - 1977

New York – 1977. Je jouais dans une équipe féminine de football. Cette année-là, nous avons gagné la coupe de l'état de New York. Je me rappelle le match contre l'équipe d'Albany. Il faisait froid. C'était une équipe très forte.

Dakar – 1995. André et moi, nous travaillions à l'ambassade de France. J'ai commencé à faire de la sculpture parce que j'aimais les sculptures africaines. J'ai participé à une exposition.

Raconter des souvenirs

Réfléchissons... L'emploi de l'imparfait

• Dans les commentaires des photos de l'album, observez les verbes. Classez-les dans le tableau.

a. Pour parler d'une action habituelle dans le passé	À New York, je jouais dans une équipe de football. – ...
b. Pour parler d'un moment précis du passé	Nous avons gagné... – ...
c. Pour parler des circonstances de ce moment	Il faisait froid. – ...

• La forme des verbes des parties « a. » et « c. » est l'imparfait. Dans quelles phrases utilisez-vous cette forme ?
a. – Je *(arriver)* à New York en septembre 1975.
b. – Il *(faire)* très chaud.
c. – À la fin du mois, nous *(louer)* un appartement près du parc.
d. – Tous les matins, j(e) *(aller)* faire un jogging dans le parc.

**1. Lisez l'album photo de Marie-Claire.
Approuvez ou corrigez les phrases suivantes.**
a. Avec cet album photo, nous apprenons des choses sur le passé de Marie-Claire Dumas.
b. Marie-Claire a beaucoup voyagé.
c. Quand elle était enfant, elle passait ses vacances à l'étranger.
d. À New York, elle a regardé jouer l'équipe de football d'Albany.
e. Elle aime les activités artistiques.

Distinguer l'imparfait et le passé composé

• **Répondez comme dans l'exemple.**
Tout a changé
– Tu déjeunes au restaurant ou chez toi ?
– Avant, je déjeunais au restaurant. Hier, j'ai déjeuné chez moi.
– Tu manges de la viande ou du poisson ?
...

N° 89

Villa Marie-Claire — Les souvenirs de madame Dumas

N° 17

N° 90

1. Madame Dumas : Regardez ! Quand nous étions à New York, je jouais dans une équipe féminine de football.

2. Greg : Excusez-moi... Elle est un peu abîmée ! Ça a de la valeur ?

3. Madame Dumas : Tenez, lisez !

Parler de ses loisirs

2. Regardez ou écoutez la séquence 17. Associez les phrases et les photos.

3. Approuvez ou corrigez les phrases suivantes.
a. Greg a abîmé une petite statue avec son tableau.
b. Madame Dumas n'est pas contente.
c. Madame Dumas a acheté très cher la petite statue.
d. La statue rappelle des souvenirs à madame Dumas.
e. Madame Dumas montre des photos à Greg.
f. À chaque photo, madame Dumas se rappelle un moment de sa vie.

Apprenons à conjuguer... L'imparfait

On forme l'imparfait à partir de la forme *nous* du présent.
Avoir : nous avons → j'avais, tu avais, il / elle avait...
Prendre : nous prenons → je prenais, tu prenais...

• **Complétez la conjugaison.**

TRAVAILLER		ALLER
je travaillais	nous ...	j'allais, tu...
tu ...	vous travailliez	
il / elle ...	ils / elles travaillaient	

4. Complétez les souvenirs de madame Dumas.
a. Quand elle était jeune, *elle faisait de la danse.*
b. À vingt ans, ...
c. Quelques années après, ...
d. Quand elle a fini ses études, ...
e. À New York, ...
f. À Londres, ...
g. À Dakar, ...

5. Mettez les verbes à l'imparfait.
Souvenirs de Londres. Madame Dumas raconte...
Au début des années 1990, je (*vivre*) à Londres. J'(*être*) mariée. Mon mari (*travailler*) à l'ambassade de France.
Nous (*habiter*) à côté de Hyde Park. Tous les matins, je (*faire*) mon jogging dans le parc. Puis, j'(*aller*) travailler.
À Londres, nous (*sortir*) beaucoup. Nos amis anglais nous (*inviter*) très souvent. (*Il y a*) beaucoup de concerts.

6. Vos loisirs d'enfant ou d'adolescent. Racontez un souvenir.
Mes jeux... Mes sports... Mes séries télé... Des vacances extraordinaires... Un anniversaire formidable...
« Je me rappelle... J'avais... Je jouais... Un jour... »

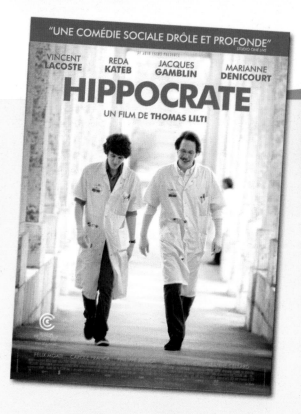

Sur les écrans cette semaine

LE CINÉMA PARLE DE LA SOCIÉTÉ

■ Hippocrate

Benjamin est un jeune médecin qui travaille à l'hôpital dans le service de chirurgie de son père, le professeur Barois. Son collègue, Abdel, est un Algérien plus âgé et plus compétent que lui. Une nuit, Benjamin, qui n'a pas beaucoup d'expérience, fait une faute grave et un de ses malades meurt. Benjamin a peur. Abdel va-t-il découvrir qu'il est responsable ? Va-t-il l'excuser ?
Un film qui montre avec humour la vie difficile du monde hospitalier.

2014, film de Thomas Lilti
avec Vincent Lacoste, Reda Kateb, Jacques Gamblin et Marianne Denicourt

■ Qu'est-ce qu'on a fait au Bon Dieu ?

Claude et Marie Verneuil habitent à Chinon, une petite ville du Val de Loire. Ce sont des bourgeois catholiques, très « vieille France » qui aiment les traditions. Ils ont quatre filles : Isabelle, Odile, Ségolène et Laure. Pour elles, ils ont toujours espéré un « beau mariage » c'est-à-dire un mariage avec un jeune homme d'une « vraie famille française catholique ».
Mais, ils sont allés de déception en déception : Isabelle a épousé un avocat musulman, Odile un chômeur juif et Ségolène un banquier chinois. Reste Laure. Qui va-t-elle choisir ?
Une comédie sur les idées reçues dans un pays qui compte des communautés différentes.

2014, film de Philippe de Chauveron
avec Christian Clavier, Chantal Lauby, Ary Abittan, Medi Sadoun, Frédéric Chau et Noom Diawara

■ Samba

Samba est un jeune immigré sénégalais sans papiers qui va de petit boulot en petit boulot.
Alice est une cadre supérieure fatiguée par son travail qui a quitté son entreprise. Elle travaille comme bénévole dans une association qui s'occupe des immigrés sans papiers.
Alice et Samba vont se rencontrer, s'aider et apprendre à se connaître.
Un film plein d'humour et d'émotion.

2014, film d'Olivier Nakache et Éric Toledano
avec Omar Sy et Charlotte Gainsbourg

Comprendre un résumé de film

 1. La classe se partage les trois films.

a. Pour chaque film, recherchez :
– le sujet. *Ce film parle de... Il pose le problème de...*
– les personnages. *Benjamin est... Il travaille...*
– le type de film. *C'est un film comique / romantique / dramatique...*
b. Imaginez la fin du film.
c. Présentez le film aux autres groupes de la classe.

**2. Les opinions suivantes sont-elles vraies ou fausses ?
Expliquez pourquoi.**
a. Dans le film *Hippocrate*...
1. Benjamin est très compétent.
2. Benjamin et Abdel sont différents.
b. Dans le film *Qu'est-ce qu'on a fait au Bon Dieu ?*...
1. Claude Verneuil n'accepte pas les gens différents de lui.
2. Claude Verneuil n'est pas satisfait du mariage de ses filles.
c. Dans le film *Samba*...
1. Alice est une femme heureuse.
2. Samba et Alice sont différents.

Caractériser

3. Reformulez les phrases comme dans l'exemple.
a. Construction « *c'est* + nom + ... »
Exemple : Ce film parle des problèmes d'immigration.
→ *C'est un film **qui** parle des problèmes d'immigration.*
1. Ce personnage n'est pas sympathique. → ...
2. Cette actrice joue très bien. → ...
b. Construction « nom + *qui* + ... » en fin de phrase.
Exemple : Mélanie est étudiante. Elle fait un doctorat. → *Mélanie est une étudiante qui fait un doctorat.*
1. Greg fait des tableaux. Ces tableaux sont exposés à Lyon. → ...
2. Ludovic travaille avec Li Na. Li Na fait un stage de marketing. → ...

Définir

**4. a. Dans le document de la page 120, trouvez les mots
qui correspondent à ces définitions :**
1. personne qui n'a pas de travail
2. groupe de personnes qui ont les mêmes intérêts
3. personne qui n'a pas de visa de séjour
4. personne qui travaille sans demander d'argent
b. Donnez les définitions des mots suivants :
1. un immigré   **3.** un banquier
2. un médecin   **4.** un cadre supérieur

Présenter un film

 **5. Écrivez la présentation
d'un film qui vous a plu.
Donnez votre opinion sur ce film.**
Présentez ce film à la classe.

Réfléchissons... La construction avec *qui*

• **Dans le document, observez les constructions
avec *qui*.**
a. Benjamin est un jeune médecin **qui** travaille à l'hôpital.
→ Benjamin est un jeune médecin. Il travaille à l'hôpital.
b. Benjamin, **qui** n'a pas beaucoup d'expérience, fait une faute. → Benjamin n'a pas beaucoup d'expérience. Il fait une faute.

• **Reliez les deux phrases avec *qui*.**
a. Claude Verneuil est un bourgeois. Il aime les traditions.
→ ...
b. Samba est un jeune immigré sénégalais. Il cherche du travail. → ...

L'enchaînement dans les constructions « *c'est un(e)... qui* »

• **Répondez comme dans l'exemple.**
– Ce film est excellent.
– C'est un film qui est excellent.
– Cette actrice a vingt ans.
– ...

N° 91

ⓘ Point infos

LES RELIGIONS EN FRANCE

La France est un pays où les religions sont une affaire privée.
60 % des Français sont catholiques mais très peu pratiquent leur religion (5 %). Beaucoup de ces pratiquants ont plus de 65 ans.
7 % sont musulmans (30 % de pratiquants).
4 % sont protestants (40 % de pratiquants).
1 % est de religion juive.
2 % pratiquent une autre religion (bouddhisme, etc.).
26 % se disent sans religion.

Source : Gérard Mermet,
Francoscopie, Larousse,
2013

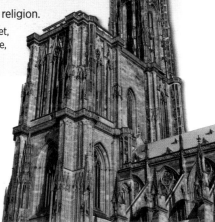
La cathédrale Notre-Dame de Strasbourg.

Pour s'exprimer

• C'est un film qui parle de...
• Ce film pose le problème de...
• C'est l'histoire d'une femme qui...

Villa Marie-Claire — **Mélanie fait du sport**

N° 18

N° 92

1. Greg : Tu fais du sport ? C'est nouveau !
Mélanie : J'en fais deux fois par jour !

2. Greg : J'ai aussi acheté des cookies. Tu en veux un ?

Parler de la pratique d'un sport

1. Regardez ou écoutez la séquence 18. Associez les phrases et les photos.

2. Choisissez les bonnes fins de phrases.

a. Mélanie fait du sport...
1. depuis longtemps.
2. depuis quelques jours.

b. Elle fait du sport...
1. seulement chez elle.
2. chez elle et dans une salle de sport.

c. Elle fait du sport...
1. parce qu'elle adore ça.
2. parce qu'elle a des kilos en trop.

d. Mélanie...
1. est au régime.
2. mange trop entre les repas.

e. Quand Mélanie travaille...
1. elle a besoin de manger.
2. elle stresse.

f. Greg...
1. fait souvent du sport.
2. n'aime pas le sport.

g. Greg...
1. donne des conseils à Mélanie.
2. plaisante avec Mélanie.

3. Complétez ces quatre extraits de la scène. Observez le pronom. Que remplace-t-il ?
1. – Greg : Tu fais du sport ? C'est nouveau !
   – Mélanie : ... deux fois par jour ! Le matin, jogging et muscu... Le soir, salle de sport ! Tu devrais...
2. – Greg : Arrête de manger des croissants le matin et du chocolat dans la journée !
   – Mélanie : ...
3. – Greg : J'ai acheté de la limonade. Tu... ?
4. – Greg : J'ai aussi acheté des cookies. Tu... ?
   – Mélanie : Non, je...

> **Enchaînement des constructions avec le pronom *en***
>
> • **Répondez *oui* ou *non* selon votre cas.**
> *Chez le médecin*
>
> **Le médecin :** Vous faites du sport ?   **N° 93**
> **Vous :** Oui, j'en fais. / Non, je n'en fais pas.
> – ...

Utiliser le pronom *en*

4. Lisez l'encadré « Réfléchissons ». Répondez en utilisant le pronom qui convient.

a. – Mélanie fait du sport ? – Elle en fait.
b. – Madame Dumas fait du vélo ? – ...
c. – Greg aime le sport ? – Non, ...
d. – Greg mange des cookies ? – ...
e. – Mélanie aime les croissants ? – ...

5. Remplacez les mots en gras par le pronom qui convient.
– J'ai fait un gâteau. Tu veux **du gâteau** ?
– D'accord, je prends un morceau **de gâteau**.
– Tu aimes **mon gâteau** ?
– Il est très bon. Il y a du citron dedans ?
– Oui, il y a **du citron**. Tu veux la recette ?
– Oui, je veux bien **la recette**. Merci.
– Tu prends un autre morceau **de gâteau** ?
– Non merci. Mais j'ai soif. Tu as du jus d'orange ?
– Oui, j'ai **du jus d'orange**.

Présenter ses sports préférés

6. Lisez l'enquête ci-dessous. Quels sports peut-on faire...

a. dans l'eau
b. en montagne
c. en salle
d. sur une route
e. avec une balle
f. avec un ballon
g. seul
h. en équipe

 7. Lisez l'enquête suivante. Interrogez votre partenaire sur sa pratique des sports. Présentez ses réponses à la classe.
– *Tu fais de la marche ?*
– *Oui, j'en fais.*
– *Tu en fais un peu, beaucoup, tous les jours ?*

> ### Réfléchissons... Le pronom *en*
>
> • **Observez les phrases de ce dialogue et de la séquence 18.**
> – Tu fais du ski ?
> – Oui, j'en fais.
> – Tu aimes ce sport ?
> – Je l'aime bien.
> – Tu aimes les stations suisses ?
> – Je les aime beaucoup.
> – Tu as un ami en Suisse ?
> – Oui, j'en ai un. Il fait du ski avec moi.
> – Vous faites beaucoup de hors piste ?
> – On en fait beaucoup.
>
> • **Cochez les emplois de *en*.**
> Le pronom *en* remplace un mot introduit :
> ❑ par un article indéfini (*un – une – des*) ;
> ❑ par un article défini (*le – la – les*) ;
> ❑ par un article partitif (*du – de la*) ;
> ❑ par un mot de quantité.
>
> • **Comparez avec les emplois des pronoms compléments directs (p. 105) et indirects (p. 109).**

Les sports les plus pratiqués en France par les moins de 30 ans

- *la marche 36 %*
- *la natation 31 %*
- *le football 28 %*
- *le vélo (ou VTT) 22 %*
- *la randonnée 21 %*
- *le jogging 18 %*
- *la gymnastique ou la musculation 18 %*
- *le tennis 12 %*
- *le ski 6 %*
- *l'équitation 2 %*
- *le basket 2 %*
- *le volleyball 2 %*

Le marathon de Paris se court chaque année au printemps. Plus de 50 000 personnes de cent pays différents participent.

« Alors on danse » (Stromae)

Qui dit étude dit travail,
Qui dit taf[1] te dit les thunes[2],
Qui dit argent dit dépenses [...]
Qui dit Amour dit les gosses[3],
Dit toujours et dit divorce [...]
Qui dit crise te dit monde dit famine dit tiers-monde.
Qui dit fatigue dit réveil encore sourd de la veille,
Alors on sort pour oublier tous les problèmes.
Alors on danse.
Alors on danse.
Alors on danse.

---
[1] travail (argot des jeunes) ; [2] argent (argot) ;
[3] les enfants (familier)

Cherchez des personnes, des lieux ou d'autres choses   Accueil   Retrouver des amis

 √tour

 Stromae
Musicien / groupe

Journal | À propos | Photos | Tour – Tickets | Plus

 Stromae
23 juillet, 12:00

Stromae en concert à Nîmes, le 24 juillet !

👍 J'aime   💬 Commenter   ➡ Partager

Benjo et 35 023 autres personnes **aiment ça.**

 Benjo À mon avis, le meilleur show de l'année !!! Les décors sont magnifiques. Le son est excellent. Super jeux de lumières ! Pendant le concert, on a eu de la pluie mais l'ambiance était top avec un public de 7 à 77 ans. Stromae est plein d'énergie ! Ses textes et ses musiques sont très variés. Ça m'a vraiment plu !
J'aime • Répondre • 👍 167 • 25 juillet, 23:45

 Sonia D'accord, spectacle énorme, mais je ne trouve pas ses textes extraordinaires. Stromae veut plaire aussi bien aux jeunes qu'aux vieux. Alors, c'est pas toujours très original ! Pareil pour la musique. À part quelques exceptions, c'est de l'électro !
J'aime • Répondre • 👍 2 • 25 juillet, 23:49
↳ 1 Réponse

 Julien Je ne suis pas d'accord avec toi, Sonia. Je trouve qu'il a des textes très forts. Chaque chanson parle d'un sujet particulier. Par exemple, il y en a une sur le cancer qui me touche beaucoup.
J'aime • Répondre • 👍 23 • 25 juillet, 23:56

AnnaB Je pense que Stromae plaît à tout le monde parce qu'il est différent et que son spectacle est plein de surprises. Sur scène, il change de costume, de style. Il plaisante avec son public. Il montre comment il fait une chanson. C'est vrai, au départ, sa musique, c'est de l'électro et du rap. Mais dans « Ave Cesaria » tu entends du flamenco, dans « Tous les mêmes » des rythmes cubains, dans « Papaoutai » des sons africains.
J'aime • Répondre • 👍 56 • 26 juillet, 12:21

Comprendre des opinions sur un spectacle

1. Lisez la page Facebook de Stromae. Complétez le tableau.

	Il / Elle a aimé...	Il / Elle n'a pas aimé...
Benjo	les décors – le son – ...	...
Sonia	...	...
...	...	...

2. Répondez à ces questions sur le spectacle de Stromae.
a. Quel est le style de musique de Stromae ?
b. Est-ce qu'il écrit ses chansons ?
c. Il a des textes intéressants ?
d. C'est pour quel public ?
e. Ses concerts sont comment ?
f. Il y a de l'ambiance ?

Donner une opinion

4. Sur la page Facebook de Stromae, relevez les mots et les expressions utilisés pour donner une opinion.
a. les expressions : « à mon avis... », ...
b. les verbes : « je trouve que... », ...
c. les adjectifs : « magnifique, excellent », ...

 5. Écoutez. Un journaliste interroge des touristes sur les spectacles qu'ils ont vus. Complétez le tableau.
N° 95

	1	...
Quel spectacle ils ont vu (théâtre, concert, comédie musicale, chansons, humoriste) ?	humoriste	...
Ils ont aimé...	...	...
Ils n'ont pas aimé...	...	...

3. Lisez l'extrait de la chanson de Stromae.
a. Trouvez les mots qui correspondent aux définitions suivantes.
1. graves problèmes économiques dans un pays ou dans le monde
2. quand les habitants d'une région n'ont pas assez à manger
3. pays en développement
4. personne qui ne peut pas entendre
5. le jour d'avant
b. Quel est le sujet de la chanson ? Complétez.
Dans la vie, il y a... mais il faut...
c. Continuez la chanson.
Qui dit voyage dit...
Qui dit langue étrangère dit...
Qui dit hiver dit...

Distinguer [ɛ̃] et [ɛnə], [ɔ̃] et [ɔnə], etc.

 N° 94

• **Répétez.**
Concert à Lorient
Le théâtre est pl**ein**. La scène est pl**eine**
De music**iens**, de music**iennes**
Rythmes cub**ains**, chansons cub**aines**
Les Bret**ons** chant**onn**ent
C**on**tents du programme

---

6. Écrivez. Une amie vous pose la question ci-dessous. Répondez et donnez votre opinion sur le spectacle.
Loïc et moi, nous avons envie de sortir. Tu as vu un spectacle récemment ? Qu'est-ce que tu en penses ?

Le chanteur ivoirien Alpha Blondy.

ⓘ Point infos

LA CHANSON FRANCOPHONE

Quand on parle de « chanson française », on devrait dire « chanson francophone ». Beaucoup de musiciens ou de chanteurs qui sont devenus célèbres en France sont originaires d'autres pays où on parle français. Aujourd'hui, Stromae vient de Belgique comme Jacques Brel dans les années 1960.
Ils ont apporté des styles nouveaux qui ont enrichi la chanson française traditionnelle : la country et la folk canadienne avec le Québécois Roch Voisine ou la Québécoise Cœur de pirate, le raï algérien avec Faudel, le reggae avec Alpha Blondy, le R'n'B avec Corneille, un Rwandais qui vit au Canada, et bien d'autres.

Dans cette leçon, vous allez imaginer et présenter un programme télé idéal.
Vous pouvez :
– travailler seul et imaginer votre programme idéal d'une soirée ;
– travailler en groupe et faire le programme d'un dimanche.

Sondage

LA TÉLÉ ET VOUS

Vous regardez la télé...

☐ moins de deux heures par jour.   ☐ plus de 5 heures.

☐ entre deux et cinq heures par jour.   ☐ jamais.

Vous regardez les émissions suivantes :

	Tous les jours	Souvent	Quelquefois	Jamais
▶ le journal télévisé	☐	☐	☐	☐
▶ les séries	☐	☐	☐	☐
▶ les films ou les téléfilms	☐	☐	☐	☐
▶ les débats politiques	☐	☐	☐	☐
▶ les jeux	☐	☐	☐	☐
▶ les magazines de société	☐	☐	☐	☐
▶ les émissions de musique et de chansons	☐	☐	☐	☐
▶ les émissions de téléréalité	☐	☐	☐	☐
▶ les documentaires	☐	☐	☐	☐
▶ le sport	☐	☐	☐	☐

1

Recherchez les émissions préférées de votre groupe.

1. Lisez la liste des émissions proposées dans le sondage. Pour chaque émission, trouvez un exemple dans les programmes de votre pays.

2. Faites le sondage. Mettez en commun pour rechercher les émissions préférées de votre groupe.

Réfléchissons... Exprimer la fréquence

• **Modifiez les phrases suivantes en utilisant les mots :** *toujours – souvent – quelquefois – rarement – ne... jamais.*

Ludivine ne sait pas nager. Elle ne fait pas de natation.
Mais, elle fait de la gym tous les jours.
Deux fois par semaine, elle fait du jogging.
Deux fois dans sa vie, elle est allée faire du ski.
Elle fait des randonnées avec des amis deux ou trois fois par an.

NOTRE SÉLECTION

DES RACINES & DES AILES

T F 1 20.55 **Qui veut épouser mon fils ?**
Des garçons célibataires, âgés de 25 à 39 ans et qui vivent encore chez leurs parents, vont rencontrer des jeunes femmes. Leurs mères vont participer à la recherche de la compagne idéale pour leur fils.

2 23.00 **Des paroles et des actes : où va la Droite ?**
David Pujadas reçoit Marion Maréchal-Le Pen, députée Front national. Face à elle : Laurent Wauquier, ancien ministre de Nicolas Sarkozy et député LR (Les Républicains), Jean-Christophe Lagarde, député du Centre et Ghislaine Ottenheimer, journaliste.

3 20.50 **Des racines et des ailes : Rêves de pierre**
De Chambord, rêvé par le roi François Ier au XVIe siècle, aux châteaux d'Écosse, une visite guidée des châteaux construits par les grands de ce monde pour asseoir leur pouvoir.

NOUVELLE SAISON

CANAL+ 21.00 **Les Revenants**
Dans une ville de montagne, des personnes d'âges et d'origines différentes semblent perdues et cherchent à rentrer chez elles. Elles ne savent pas encore qu'elles sont mortes.

M6 20.50 **La France a un incroyable talent**
150 artistes professionnels ou amateurs se présentent devant un jury de quatre personnalités. Ils sont chanteurs, danseurs, sportifs, magiciens. Ils ont deux minutes pour plaire au jury et au public.

LES REVENANTS
LE PHÉNOMÈNE SE RÉPAND

CANAL+
CRÉATEUR ORIGINAL

2 Faites votre programme.

3. Lisez « Notre sélection ». Trouvez le type de chaque émission.
4. Trouvez les mots qui correspondent aux définitions suivantes :
• **Dans l'émission « Des paroles et des actes »**
a. personnalité politique choisie par le peuple
b. membre d'un gouvernement
• **Dans l'émission « La France a un incroyable talent »**
c. qui n'est pas professionnel
d. groupe de personnes qui jugent
e. il fait des choses extraordinaires
5. De quelles émissions parlent-ils ?
a. J'adore l'histoire.
b. J'aime bien les échanges d'idées.
c. Je préfère voir une bonne histoire, pas trop intellectuelle.
d. Ces histoires de mères qui veulent marier leur fils, ça m'amuse.

e. Dans cette émission, on voit de tout : des bons, des mauvais, des gens géniaux et des gens ridicules.

 N° 96 **6. Écoutez. Ils donnent leur avis sur une émission de la sélection. Complétez le tableau.**

	1	...
De quelle émission on parle ?	« Des racines et des ailes »	...
Quels sont les avis positifs ?	...	...
Quels sont les avis négatifs ?	...	...

7. Choisissez les émissions de votre programme.

3 Écrivez une présentation de vos émissions.

RACONTER UN SOUVENIR - L'IMPARFAIT

• **L'imparfait est utilisé pour exprimer :**
– **une action passée habituelle, un souvenir**   *ex. :* Quand j'étais enfant, je faisais de la musique. Je jouais du piano.
– **les circonstances d'un événement passé** (description, commentaires, pensées)
  ex. : Hier, nous avons fait une randonnée. Nous étions dix. Il faisait beau.

• **Formes de l'imparfait**
Pour beaucoup de verbes, on peut trouver la forme de l'imparfait à partir de la personne *nous* du présent.
ex. : nous **regard**ons → je **regard**ais ; nous **all**ons → j'**all**ais
! Attention : être → j'étais, tu étais...

Parler	Manger	Commencer	Faire	Avoir	Être
je parlais	je mangeais	je commençais	je faisais	j'avais	j'étais
tu parlais	tu mangeais	tu commençais	tu faisais	tu avais	tu étais
il / elle parlait	il / elle mangeait	il / elle commençait	il / elle faisait	il / elle avait	il / elle était
nous parlions	nous mangions	nous commencions	n ous faisions	nous avions	nous étions
vous parliez	vous mangiez	vous commenciez	vous faisiez	vous aviez	vous étiez
ils / elles parlaient	ils / elles mangeaient	ils / elles commençaient	ils / elles faisaient	ils / elles avaient	ils / elles étaient

CARACTÉRISER - LES CONSTRUCTIONS AVEC *QUI*

• **Présenter**
Je te présente Anaïs. C'est une amie **qui** a fait des études de médecine.

• **Définir**
Nice est une ville **qui** est située au sud-est de la France.

• **Caractériser**
Stromae est un chanteur **qui** a beaucoup de succès.

• **Indiquer une circonstance**
Paul, **qui** est arrivé en retard, s'est excusé à la fin de la réunion.

UTILISER LES PRONOMS COMPLÉMENTS REPRÉSENTANT DES CHOSES

Les pronoms suivants représentent des choses qui sont compléments de verbes sans préposition.
Ils se placent avant le verbe.

Quand le nom est précédé de...	Pronoms compléments directs	Exemples
un article défini (le, la, les)	le, la, les	Elle aime les comédies ? – Oui, elle **les** aime. – Non, elle ne **les** aime pas.
un / une	en	Tu as une place pour le spectacle ? – Oui, j'**en** ai une. – Non, je n'**en** ai pas.
du, de la, des **ou un mot de quantité (beaucoup de, peu de, etc.)**	en	Tu fais du ski ? – Oui, j'**en** fais. – Non, je n'**en** fais pas. Tu fais beaucoup de sport ? – Oui, j'**en** fais beaucoup. – Non, je n'**en** fais pas (beaucoup). – J'**en** fais un peu / quelquefois...

EXPRIMER LA FRÉQUENCE D'UNE ACTION

Du plus fréquent au moins fréquent :
• Elle regarde la télévision **tous les** soirs. – Elle regarde **toujours** la télévision le soir.
• Il va **souvent** au cinéma. – Il va au cinéma **trois fois** par semaine.
• Elle va **quelquefois** au théâtre. – Elle va au théâtre **quatre fois** par an.
• Il regarde **rarement** des matchs de football. – Il regarde un match de football **une fois tous les** quatre ans pour la Coupe du Monde.
• Elle **ne** fait **jamais** de sport.

LA CONJUGAISON DES VERBES

	Se rappeler	Entendre	Perdre	Mourir
Présent (maintenant)	je me rappelle tu te rappelles il / elle se rappelle nous nous rappelons vous vous rappelez ils / elles se rappellent	j'entends tu entends il / elle entend nous entendons vous entendez ils / elles entendent	je perds tu perds il / elle perd nous perdons vous perdez ils / elles perdent	je meurs tu meurs il / elle meurt nous mourons vous mourez ils / elles meurent
Passé composé (hier)	il s'est rappelé	il a entendu	il a perdu	il est mort
Imparfait (souvent)	il se rappelait	il entendait	il perdait	il mourait

DONNER SON OPINION

• Donnez-moi votre avis… / Qu'est-ce que vous en pensez ? / Quelle est votre opinion ?
• À mon avis, cette pièce est excellente… / Je pense que c'est un bon film… / Je trouve que l'acteur principal joue très bien…
• C'est bon / mauvais… – intéressant / ennuyeux… – extraordinaire… – excellent… – magnifique…

LES SPECTACLES

• Le théâtre et le cinéma
– une pièce de théâtre – un film – une comédie – un drame
– un acteur – une actrice – jouer (Depardieu joue le rôle de Cyrano) – Il joue bien / mal.
– une scène – un décor – la lumière – le son

• La musique
– la musique classique – la musique pop – le jazz – le rap – l'électro
– la chanson (une chanson) – un concert de rock

LES SPORTS

• les sports individuels : la marche – la randonnée – le jogging – le ski – la natation – le vélo (ou VTT) – la gymnastique – la musculation – l'équitation
• les sports d'équipe : le football – le basket – le volleyball
• faire du ski, de la musculation – gagner / perdre une partie de tennis, un match de football

LA TÉLÉVISION

• une chaîne de télévision (TF1, France 2, etc.) – changer de chaîne
• une émission – le journal télévisé – un débat politique – un magazine – un documentaire – un jeu – une émission de téléréalité – une série – un téléfilm
• un programme – Qu'est-ce qu'il y a au programme de la télé, ce soir ?

1. RACONTER UN SOUVENIR

Mettez les verbes à la forme qui convient.
Enfant dans les années 80
« **a.** Je me souviens, quand j'étais enfant, à la télé *(il y a)* beaucoup d'émissions pour les enfants.
b. Nous *(adorer)* l'animatrice Dorothée.
c. Je *(connaître)* toutes les chansons de Chantal Goya.
d. Après le collège, j'*(aller)* dans une association. On *(faire)* du théâtre, de la peinture et de la danse.
e. J'*(avoir)* des copines qui *(jouer)* aux premiers jeux électroniques. »

2. RACONTER UN ÉVÉNEMENT

Mettez les verbes à la forme qui convient.
Coupe du monde de football 1998
« **a.** En 1998, j'*(avoir)* 16 ans.
b. Le 12 juillet, avec mon père, nous *(aller)* au stade de France.
c. Mon père *(vouloir)* voir le match entre le Brésil et la France.
d. L'ambiance *(être)* extraordinaire.
e. C'est la France qui *(gagner)* le match.
f. Après, les spectateurs *(aller)* sur les Champs-Élysées. *(Il y a)* beaucoup de monde. C'*(être)* la fête ! »

3. DONNER DES INFORMATIONS SUR UN ARTISTE

Combinez les phrases en utilisant *qui*.
La chanteuse Cœur de Pirate
a. Cœur de Pirate est une chanteuse québécoise. Elle est née à Montréal en 1989. Elle s'appelle en réalité Béatrice Martin.
b. *Cœur de Pirate* est le titre de son premier album. Cet album est sorti en 2008.
c. Cet album parle d'amour et de séparation. Il a eu le premier prix aux Victoires de la Musique.
d. La chanteuse a fait des études de musique. Elle a composé la bande son d'un jeu vidéo.

4. NOMMER UNE ACTIVITÉ DE LOISIR

Dans chaque série, trouvez le mot intrus.
a. le football – le tennis – le basket – le volleyball
b. la randonnée – le ski – le VTT – le roller
c. un débat – une série télévisée – un journal télévisé – un documentaire
d. un opéra – une symphonie – un rap – une chanson

5. EXPRIMER LA FRÉQUENCE D'UNE ACTIVITÉ

Complétez les phrases en utilisant les expressions proposées.
*Exemple : **a.** Il va **souvent** au cinéma.*
a. Jean adore le cinéma. Il...
b. Il a trois kilos à perdre. Il fait du jogging...
c. Il n'aime pas beaucoup danser mais son amie Rachida adore ça. Alors, ils vont...
d. Rachida s'est inscrite dans un club de gym. Elle fait de la zumba...
e. Jean a une vieille tante qui habite en Irlande. Il va la voir..., à Pâques.
f. Sa compagne et lui détestent l'opéra. Ils...

> tous les jours (tous les soirs, etc.) – souvent – une fois par jour (par semaine, par mois, etc.) – quelquefois – ne... jamais

6. DONNER SON OPINION SUR UN SPECTACLE

N° 97 **Une journaliste interroge des spectateurs à la sortie du film *Dheepan* de Jacques Audiard. Complétez le tableau.**

Spectateurs	Il / Elle a aimé...	Il / Elle n'a pas aimé...
1	le jeu des acteurs	...
...	...	...

UNITÉ 9

SE LOGER

1 CHOISIR SON ENVIRONNEMENT
- Parler d'un environnement
- Comprendre une prise de rendez-vous
- Donner son opinion sur une ville ou un quartier

3 RÉSOUDRE UN PROBLÈME
- Donner des instructions
- Exprimer le besoin ou la nécessité

2 CHERCHER UN LOGEMENT
- Comprendre une annonce immobilière
- Décrire un logement
- Décrire un itinéraire
- Prendre un rendez-vous

4 AMÉNAGER SON CADRE DE VIE
- Décrire l'intérieur d'un logement
- Exprimer la continuité

PROJET

IMAGINER VOTRE LOGEMENT IDÉAL
- Présenter l'environnement et le logement où on aimerait vivre

Villa Marie-Claire — **Des projets différents**

N° 19

N° 98

1. Ludovic *(à Mélanie)* : Alors, à ton poste de lectrice à Berlin !

2. Li Na : Allô ? Oui, c'est moi... Où ça ?... À Nanterre ?

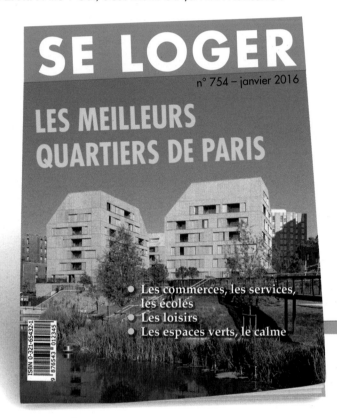

SE LOGER
n° 754 – janvier 2016

LES MEILLEURS QUARTIERS DE PARIS

● Les commerces, les services, les écoles
● Les loisirs
● Les espaces verts, le calme

a

b

Parler d'un environnement

1. Regardez ou écoutez la séquence 19. Approuvez ou corrigez les phrases suivantes.
a. Mélanie va partir en Allemagne.
b. Greg va partir en Italie.
c. Mélanie et Li Na ont envie d'aller voir Greg en Italie.
d. Greg rêve d'aller à Berlin.
e. Mélanie pense que Berlin n'est pas une ville où il fait bon vivre.
f. Li Na va s'installer seule dans un appartement.
g. Ludovic va partir de la villa Marie-Claire.
h. Li Na et Ludovic vont continuer à travailler chez Florial.

2. Relevez les expressions utilisées pour :
a. porter un toast ;
b. féliciter.

Réfléchissons... Faire des suppositions

• **Observez ces deux phrases de la scène.**
Mélanie *(à Greg)* : **Si** tu es à Rome, l'année prochaine, je viens te voir.
Si tu n'as pas ta bourse, viens à Berlin.

• **Trouvez la suite.**
a. Si vous voulez apprendre le français, ...
b. Si vous aimez le flamenco, ...

• **Imaginez la supposition.**
a. Si ..., allez sur la Côte d'Azur !
b. Si ..., installez-vous à New York !

Le son [r]

• **Répétez.**
a. consonne + r + voyelle
Il a trouvé du travail
Du premier au trente
Il prépare des frites
Et des croque-monsieur

N° 99

b. r à la fin du mot
C'est dans un bar
Vers la gare
Ouvert tard
Dix heures par jour
Et ce n'est pas cher

N° 100

Comprendre une prise de rendez-vous

3. Par deux, imaginez les phrases de l'agent immobilier.

Li Na : Allô ?
L'agent immobilier : ...
Li Na : Oui, c'est moi...
L'agent : ...
Li Na : Où ça ? À Nanterre ?
L'agent : ...
Li Na : On n'est pas loin de la Défense, alors ?
L'agent : ...
Li Na : C'est super !
L'agent : ...
Li Na : 70 m², avec 2 chambres... c'est parfait !
L'agent : ...
Li Na : Et il est clair ?
L'agent : ...
Li Na : Bon, d'accord... Je veux bien le voir.
L'agent : ...
Li Na : Demain, à 18 h 30... Attendez... *(elle parle avec Ludo)*
D'accord, c'est possible.
L'agent : ...
Li Na : Alors, à demain !

Utiliser le pronom y

4. Pour éviter des répétitions, remplacez les mots soulignés par le pronom qui convient.
Robin : Alors, tu es dans ton nouvel appart ?
Solène : Oui, je suis <u>dans mon nouvel appart</u>.
Robin : Tu découvres le quartier ?
Solène : Je découvre <u>le quartier</u>. Il y a un petit café en bas de mon immeuble. Le matin, je vais prendre mon cappuccino <u>dans ce café</u>.
Robin : Il n'y a pas un restaurant en face ?
Solène : Si. On mange un très bon couscous <u>dans ce restaurant</u> et on boit un très bon vin d'Algérie <u>dans ce restaurant</u>.

Donner son opinion sur une ville ou un quartier

5. Lisez ce témoignage sur le site « Vivre à Paris ». Classez les sujets :
– les commerces, les services, les écoles ;
– les loisirs ;
– les espaces verts, le calme.

6. Répondez à la question du site.

Réfléchissons... Le pronom *y*

• **Observez ces extraits. Que remplace le pronom *y* ?**
a. Ludovic *(à Greg)* : Et toi ? La villa Médicis, à Rome, tu **y** vas ?
b. Mélanie *(à Greg)* : Berlin, c'est la ville *hype*. Beaucoup d'artistes s'**y** installent.
c. Li Na *(à Ludo)* : C'est l'agence. Ils ont un appart à Nanterre. On peut le voir demain, à 18 h 30.
Ludovic : On **y** va !
• **Répondez en utilisant le pronom *y*.**
– Cet été, vous allez en vacances à Arcachon ?
– Oui, j'...
– Vous dormez à l'*Hôtel de la plage* ?
– Oui, ...
– Vous déjeunez au *Restaurant du port* ?
– Oui, ...

Point infos

LES FRANÇAIS ET LE RÊVE DU DÉPART À L'ÉTRANGER

Comme un peu partout dans le monde les jeunes Français voyagent à l'étranger et beaucoup rêvent d'aller y vivre. On dit aussi : « Les jeunes très qualifiés ne restent pas en France. Ils préfèrent partir à l'étranger. » La réalité est différente. Il y a seulement 1,6 million de Français qui sont installés à l'étranger (2,4 % de la population). Le nombre de diplômés (ingénieurs, scientifiques, etc.) qui partent est stable (entre 10 et 15 % depuis 10 ans). Il y a beaucoup plus d'étudiants étrangers en France (300 000) que d'étudiants français à l'étranger (70 000).

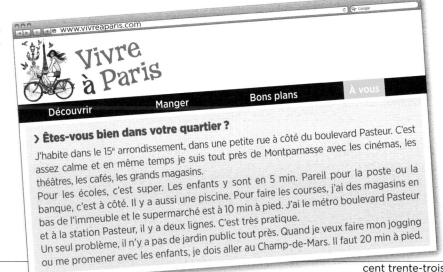

www.vivreaparis.com

Vivre à Paris

Découvrir   Manger   Bons plans   À vous

❯ Êtes-vous bien dans votre quartier ?
J'habite dans le 15e arrondissement, dans une petite rue à côté du boulevard Pasteur. C'est assez calme et en même temps je suis tout près de Montparnasse avec les cinémas, les théâtres, les cafés, les grands magasins.
Pour les écoles, c'est super. Les enfants y sont en 5 min. Pareil pour la poste ou la banque, c'est à côté. Il y a aussi une piscine. Pour faire les courses, j'ai des magasins en bas de l'immeuble et le supermarché est à 10 min à pied. J'ai le métro boulevard Pasteur et à la station Pasteur, il y a deux lignes. C'est très pratique.
Un seul problème, il n'y a pas de jardin public tout près. Quand je veux faire mon jogging ou me promener avec les enfants, je dois aller au Champ-de-Mars. Il faut 20 min à pied.

Grenoble Immobilier

Nos locations

Deux pièces. Dans un bel immeuble ancien situé place Notre-Dame, dans l'hypercentre, au 4e étage avec ascenseur. Joli 2 pièces de 40 m², clair, cuisine équipée. Belle vue sur les montagnes. Chauffage électrique. Tramway au bas de l'immeuble.
Loyer : 600 € charges comprises

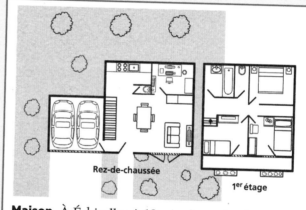

Appartement 100 m². Centre-ville, boulevard du Maréchal Leclerc, dans immeuble des années 1970. Appartement de 100 m², grand salon avec balcon, 3 chambres. Parking et cave. Chauffage collectif.
Loyer : 1 100 € charges comprises

Rez-de-chaussée

1er étage

Maison. À Échirolles, à 10 min du centre de Grenoble, maison de 120 m² avec jardin et garage.

Comprendre une annonce immobilière

1. Lisez les annonces de l'agence Grenoble Immobilier. Conseillez et informez ces personnes.

a. Nous sommes trois étudiants. Nous cherchons une colocation… Il y a combien de chambres ? C'est cher ?

b. Mon compagnon et moi, nous cherchons un logement dans le centre. Nous n'avons pas de voiture…
Ce logement est-il clair ? Les transports en commun sont-ils près ?

c. Nous sommes un couple avec trois enfants. Nous cherchons une maison avec jardin, si possible en ville… Elle est loin du centre ?

Décrire un logement

2. Une employée de Grenoble Immobilier présente la maison à un client. Notez sur le plan les numéros correspondant aux parties de la maison.

N° 101

1. une entrée – **2.** un couloir – **3.** une cuisine – **4.** un salon – **5.** une salle à manger – **6.** une chambre – **7.** une salle de bain – **8.** un bureau – **9.** des toilettes – **10.** un escalier – **11.** un jardin – **12.** un garage –**13.** le rez-de-chaussée – **14.** un étage

3. Associez ces définitions à une pièce de la maison.

a. On y réunit les amis. → *le salon*
b. On y prépare les repas. → …
c. On y prend les repas. → …
d. On y dort. → …
e. On y fait sa toilette. → …
f. On y met sa voiture. → …
g. On y travaille. → …

Décrire un itinéraire

**4. Vous travaillez à l'agence Grenoble Immobilier.
Expliquez à un client comment aller :**
a. de l'agence à l'appartement de la place Notre-Dame ;
b. de l'agence à l'appartement du boulevard du Maréchal Leclerc.

> **Pour s'exprimer**
>
> prendre la rue à droite / à gauche – tourner... – traverser... – continuer (jusqu'à...) – à votre gauche, vous avez la place...

Prendre un rendez-vous

N° 102

5. Écoutez. Une cliente prend rendez-vous avec l'agent de Grenoble Immobilier pour visiter un appartement. Notez dans le tableau :
a. les moments où les personnes sont occupées ;
b. les moments où le rendez-vous est possible.

	Moments où l'agent immobilier est occupé	Moments où la cliente est occupée	Moments où le compagnon est occupé
9 h	} réunion		
10 h			} cours à l'université
11 h			
12 h			
13 h			
14 h			
15 h			
16 h			
17 h			
18 h			
19 h			

6. Jouez la scène à deux. Vous prenez rendez-vous avec un agent immobilier pour visiter un appartement. Il faut 1 h pour visiter l'appartement. Ci-dessous, voici vos emplois du temps.

> **Pour s'exprimer**
>
> • À quelle heure vous êtes libre ?
> • Je suis occupé de... à...
> • Je dois aller...
> • C'est possible / c'est impossible

Emploi du temps de l'agent immobilier

Mardi

09h

10h

11h } en réunion

12h

13h

14h

15h

16h } en visite

17h

18h

19h

Emploi du temps du client / de la cliente

4 Octobre   Mardi

9:00   rendez-vous chez le garagiste
10:00
11:00
        déjeuner avec Jérôme
12:00
13:00
14:00
15:00
16:00
17:00
18:00   cours de gym
19:00
20:00
21:00

5 Octobre   Mercredi

9:00
10:00
11:00
12:00
13:00
14:00
15:00
16:00
17:00
18:00
19:00
20:00
21:00

Villa Marie-Claire — Li Na et Ludovic s'installent

N° 20 **N° 103**

1. **Ludovic :** Aide-moi à porter la plante verte.
2. **Li Na :** Ludo, tu sais où est le compteur électrique ?
   Ludovic : Oui, j'y vais.
3. **Li-Na :** Alors, mets-la dans le coin, là-bas.

Donner des instructions

1. Regardez ou écoutez la séquence 20. Associez les phrases et les photos.

2. Complétez l'histoire.
a. Li Na et Ludovic s'installent...
b. Mélanie et Greg aident...
c. Li Na donne des instructions à Ludo pour...
d. Ludo appelle Greg parce qu(e)...
e. Mélanie s'occupe de...
f. Mais quand elle change l'ampoule...

3. Notez les endroits où Li Na veut mettre la plante verte. Pourquoi ce n'est pas possible ?
a. à côté de la porte → on ne...
b. ...

4. Relevez les ordres donnés par :
a. **Li Na à Ludovic :** *Mets-la...*
b. **Li Na à Ludovic et à Greg ;**
c. **Ludovic à Greg.**

5. Répondez comme dans l'exemple.
Préparatifs de soirée

Exemple : – *J'invite les amis de Noémie ?*
– *Oui, invite-les ! Ils sont sympas.*

a. – J'invite les voisins ?
 – Non, … Restons entre amis.
b. – J'envoie un texto à Vincent ?
 – Oui, … Je l'aime bien.
c. – Je téléphone aux amis de Laura ?
 – Non, … Ils ne sont pas sympas.
d. – Je prépare de la sangria ?
 – Oui, … Elle est très bonne.
e. – Je vais au marché ?
 – Oui, … Le réfrigérateur est vide.
f. – J'achète des pizzas ?
 – Non, … François va préparer du poulet au curry.

Exprimer le besoin ou la nécessité

6. Continuez en utilisant les mots de l'encadré.
C'est la crise

a. À 30 ans, Paul ne veut pas rester chez ses parents. … *(trouver un appartement)*
b. Pour louer un appartement, … *(de l'argent)*
c. Mais Paul est au chômage. … *(chercher un travail)*
d. Pour trouver un travail, … *(une qualification)*
e. Pour avoir une qualification, … *(une formation)*

> Il faut… (Il lui faut…) – avoir besoin de… (il a besoin de…) – devoir … (il doit…)

7. Jouez la scène à deux. Vous avez acheté un tableau dans un vide-grenier.

– **Vous le montrez à votre colocataire.** *Comment le trouves-tu ?*
– **Vous voulez l'accrocher.** *Où on le met ?*
– **Vous demandez l'aide de votre colocataire.** *Aide-moi !*
J'ai besoin de…

Réfléchissons… Construction du « verbe + pronom » à l'impératif

• **Observez ces instructions.**
– La plante verte ? **Mets-la** à côté de la fenêtre !
– **Ne la mets pas** près de la porte !
– **Aide-moi** à porter cette valise !
– Non merci, **ne m'aide pas** à ranger l'armoire.
– Mélanie est là ? **Dis-lui** de venir.

• **Dans les constructions « verbe + pronom », comment forme-t-on l'impératif :**
– **à la forme affirmative ?**
– **à la forme négative ?**

• **Reformulez ces ordres comme dans l'exemple.**
Exemple : Tu dois mettre **la lampe** sur la table. → Mets-**la** sur la table.
a. Tu ne dois pas mettre la plante verte dans le coin. → …
b. Tu dois pousser le canapé devant la fenêtre. → …
c. Vous devez téléphoner à l'agent immobilier. → …
d. Vous ne devez pas mettre le tableau ici. → …

Prononciation des verbes à l'impératif + *en*

• **Répondez comme dans les exemples.**
Conseils de santé
– Je peux faire du sport ? – Fais-en !
– Je peux faire de la boxe ? – N'en fais pas !
– Je peux manger de la salade ? – …

N° 104

Apprenons à conjuguer…

LES VERBES *METTRE* ET *PERDRE*
• **Complétez.**

METTRE	
je mets	nous mettons
tu …	vous …
il / elle …	ils / elles …

PERDRE	
je perds	nous perdons
tu …	vous …
il / elle …	ils / elles …

! N.B. : Beaucoup de verbes en *-re* se conjuguent au présent comme ces deux verbes : *rendre – descendre – attendre – entendre* – etc.
Mais ce n'est pas le cas de *prendre,* de *connaître* et de leurs dérivés.

DÉCORATION D'INTÉRIEUR

ÊTES-VOUS TENDANCE ?

▲ **1. Pour vous, un logement doit...**
a. être grand et clair.
b. consommer peu d'énergie.

▲ **2. Vous meublez votre appartement...**
a. avec des meubles achetés chez Ikea.
b. avec des meubles des années 1950.

▲ **3. Votre cuisine...**
a. est séparée du salon et on peut y dîner.
b. est ouverte sur le salon et équipée d'un four commandé à distance.

▲ **4. Dans votre salon, il faut absolument...**
a. un grand canapé et des fauteuils.
b. un téléviseur à grand écran.

▲ **5. Les murs de votre salon...**
a. sont peints en blanc et décorés d'affiches.
b. sont de couleurs variées avec des tissus ethniques.

▲ **6. Dans votre salon, vous mettez...**
a. une grande bibliothèque.
b. beaucoup de lampes, de tapis, de coussins.

▲ **7. Vous allez dans votre chambre...**
a. juste pour dormir.
b. pour lire, travailler, regarder la télévision.

▲ **8. Vous faites votre lit avec...**
a. un drap, des couvertures et un traversin.
b. une couette et des oreillers.

▲ **9. Votre salle de bain est...**
a. une pièce séparée avec une baignoire ou une douche.
b. ouverte sur la chambre avec une douche à l'italienne.

▲ **10. Vous invitez vos amis...**
a. à un repas autour de la table du coin repas du salon.
b. à un apéritif dînatoire devant le meuble bar.

Comptez vos b. Si vous avez 6 b ou plus vous êtes tendance.

Décrire l'intérieur d'un logement

1. Faites le test avec l'aide du professeur.
a. Comptez vos points b. Êtes-vous « tendance » ?
b. Lisez l'opinion du styliste. Comparez avec les tendances de décoration dans votre pays.

 2. En petit groupe, relevez dans le test les noms de meubles ou d'objets de la maison.
a. Classez-les dans les pièces de la maison.
Dans la cuisine → un four
Dans la chambre → un lit...
Dans...
b. Complétez ces listes avec d'autres mots. (Mettez en commun vos connaissances, cherchez dans un dictionnaire.)

L'opinion du styliste

 Aujourd'hui, on ne compte plus les émissions de téléréalité sur le logement. Dans *Maison à vendre* sur M6, on rénove un logement pour mieux le vendre. Dans *La Maison France 5*, on décore son intérieur. Alors, quelles sont les modes ?

Eudes Nougarède (styliste) : La mode est adaptée au mode de vie des « jeunes technos ». Chaque pièce n'est plus séparée des autres. La personne qui prépare le repas doit pouvoir participer à la conversation du salon, suivre l'émission à la télé. Les pièces sont donc ouvertes les unes sur les autres. Elles n'ont plus une seule fonction. Par exemple, dans la chambre, on dort mais aussi on travaille, on lit, on regarde la télé.

🔲 **Le côté pratique est important…**

E. N. : C'est vrai. Aujourd'hui, on vit à 100 à l'heure. Alors, on n'achète plus un meuble parce qu'il est ancien ou exotique mais parce qu'il est pratique. La cuisine est un véritable laboratoire, équipée des dernières innovations. On veut cuisiner bien et vite. Les tables, les canapés doivent être mobiles et adaptables.

🔲 **Alors, finis les meubles trouvés dans les vide-greniers ?**

E. N. : Non, il y a toujours un intérêt pour le meuble ou l'objet qui a une histoire. Les années 1950 sont à la mode. Et puis, tout le monde ne suit pas cette tendance. Les bourgeois aiment encore les meubles anciens, les grands tapis et les tableaux. Les étudiants et les jeunes couples choisissent encore leurs meubles chez Fly ou Ikea.

Propos recueillis par Henri Girard

---

 3. Tour de table. Vous allez vivre dans une cabane vide sur une île déserte. Vous pouvez emporter 5 meubles ou objets de la maison. Que choisissez-vous ? Pourquoi ?

Exprimer la continuité

4. D'après l'opinion du styliste, les phrases suivantes sont-elles vraies ou fausses ?

a. Les jeunes technos achètent encore des meubles anciens.

b. Ils rêvent toujours d'une grande cuisine séparée du salon.

c. Les étudiants n'achètent plus leurs meubles chez Fly ou chez Ikea.

d. Les meubles des années 1950 ne sont plus tendance.

5. Êtes-vous tendance ou tradition ? Interrogez votre partenaire. Imaginez d'autres questions.

Vous écrivez encore vos lettres de vœux au stylo ?
Vous utilisez encore votre voiture en ville ?
Vous jouez encore à la Game Boy ?
Vous avez encore un téléphone à fil ?
Vous mangez encore des tartines de Nutella ? …

Le son [j]

• **Répétez.**
a. Distinguez [j] et [ʒ].   N° 105
Ah, mes voyages à Figeac !
Le jardin de **Y**asmine
Il **y** a des jasmins
Des papi**ll**ons jaunes
Hier, **j**'ai adoré
Les **j**eux de ses **y**eux

b. Prononcez [j] à la fin d'un mot.   N° 106
Titres
Conseil de fam**ille**   Un faut**euil** au sol**eil**
La f**ille** de l'acc**ueil**   Du somm**eil** au rév**eil**

Réfléchissons… L'expression de la continuité

• **Réécrivez les phrases en gras en utilisant :**
j'ai arrêté… et *je continue…*
« Quand j'avais 15 ans je faisais du tennis, du piano et de la danse.
Aujourd'hui, **je fais encore du tennis.**
Je fais toujours du piano.
Je ne fais plus de danse. »

Dans cette leçon, vous allez imaginer votre logement idéal.
Vous pouvez travailler seul, par deux ou en petit groupe.
Vous pouvez présenter ce logement sur une affiche ou un diaporama.

Témoignages

Ils sont satisfaits de leur habitation

 « J'ai 23 ans et je suis étudiante en droit à Nantes. J'ai loué un studio dans le centre-ville. C'est plus vivant. Il y a des commerces, des cafés, des restaurants. Et puis, j'ai des amis qui habitent près de chez moi. Pas de problème pour aller à la fac. Le tramway est à deux minutes de chez moi. » Margot

 « Avant, j'habitais à Montrouge dans la banlieue de Paris. Mais il y avait trop de bruit et trop de pollution. Je mettais une heure pour aller au bureau, près de la gare du Nord. Nous avons acheté une grande maison à 100 km de Paris, près d'Arras. En TGV, je suis chez moi en 1 h 30. C'est formidable : en été, le soir, je suis chez moi à 19 h 30 et je peux aller faire un jogging dans la forêt. » Simon, 40 ans

 « J'habite Toulouse et j'ai trouvé un appartement à 50 mètres du cabinet d'architecte où je travaille. Ça me laisse beaucoup de temps libre. » Olivia, 35 ans

 « Je suis graphiste et je travaille pour des entreprises parisiennes. J'ai choisi d'habiter près d'Avignon, dans une grande maison, à la campagne. Je travaille chez moi. Je vais à Paris une fois par semaine en TGV. » Pierre, 35 ans

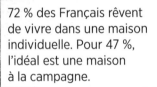

72 % des Français rêvent de vivre dans une maison individuelle. Pour 47 %, l'idéal est une maison à la campagne.

1 Choisissez votre environnement.

1. Lisez les témoignages. Complétez le tableau.

Témoins	Lieu de résidence	Type de logement	Avantages
Margot	Nantes – centre-ville	...	C'est vivant – ...
...	...	...	...

2. Choisissez l'environnement de votre logement idéal. Présentez-le avec ses avantages.

2

Choisissez votre logement et faites son plan.

3. **La classe se partage les types de logements de la liste ci-dessous. Recherchez les avantages et les inconvénients de chaque logement.**

• **Les logements courants**
- un appartement dans une tour
- un appartement dans un immeuble récent
- un appartement dans un immeuble du XIXe siècle
- une maison en ville
- une maison dans un village
- une maison en pleine nature

• **Les logements originaux**
- une vieille gare
- une vieille usine
- un bateau
- un phare
- le grenier d'un grand immeuble

4. **Observez les photos de logements. Donnez votre avis.**

5. **Choisissez votre logement et faites son plan. Indiquez le nom des pièces.**

3

Meublez et décorez les pièces.

 6. **Écoutez. Augustin s'installe. Il décrit son futur salon. Reportez les indications N° 107 sur le dessin.**

a. Placez : la cheminée – la bibliothèque – les tables – les chaises – le buffet – la télévision – les fauteuils – le canapé.
b. Indiquez : la couleur des murs, du canapé et des fauteuils.

(i) Point infos

OÙ HABITENT LES FRANÇAIS ?

Quand on interroge les Français sur leur logement idéal, 72 % souhaitent une maison individuelle avec jardin et piscine, située à la campagne. Ces souhaits sont en partie satisfaits : 57 % des Français vivent dans une maison contre 43 % dans un appartement. Mais seulement 18 % de ces maisons sont à la campagne. Les autres sont situées dans les villes ou leurs agglomérations (une agglomération comprend une ville, sa banlieue et des villages réunis à la ville).

UTILISER LE PRONOM Y

Le pronom *y* représente :
• un complément de lieu
– Tu vas **au cinéma** ce soir ? – Oui, j'**y** vais.
– Quand t'installes-tu dans **ton nouvel appartement** ? – Je m'**y** installe le mois prochain.

• une chose ou une idée, complément du verbe introduit par la préposition *à*
– Tu penses à **faire ton travail** ? – Oui, j'**y** pense.

! Remarque : on n'utilise pas *y* quand le complément est une personne.
– Tu penses à **Marie** ? – Oui, je pense à **elle**.

FAIRE UNE SUPPOSITION

Si Li Na est d'accord, Ludovic loue un appartement en colocation.
S'ils ont assez d'argent, ils louent un appartement à Nanterre.

DONNER DES ORDRES

• Je peins le salon en jaune ? – Peins-le en blanc !
                       – Ne le peins pas en jaune !
• Je demande conseil à un décorateur ? – Demande-lui conseil !
                       – Ne lui demande pas conseil !
• Nous achetons du papier-peint pour la chambre ? – Achetons-en !
                       – N'en achetons pas !
• Nous achetons une grande lampe pour le salon ? – Achetons-en une !
                       – N'en achetons pas !
• Je vais chez Bricorama ? – Vas-y !
                       – N'y va pas !

EXPRIMER LA CONTINUITÉ

• Il est 19 h. Li Na est au bureau. Elle travaille **encore**. Elle est **toujours** en réunion.
   Ludovic est rentré. Il **n'**est **plus** au bureau.
• Est-ce qu'on trouve **encore** des logements pas chers à Paris ? – Non, on **n'en** trouve **plus**.
   Est-ce qu'on trouve des logements pas trop chers à Nanterre ? – Oui, on en trouve **toujours**.

LA CONJUGAISON DES VERBES

	Mettre	Peindre	Suivre
Présent	je mets tu mets il / elle met nous mettons vous mettez ils / elles mettent	je peins tu peins il / elle peint nous peignons vous peignez ils / elles peignent	je suis tu suis il / elle suit nous suivons vous suivez ils / elles suivent
Passé composé	hier, j'ai mis...	hier, j'ai peint...	hier, j'ai suivi...
Imparfait	avant, je mettais...	avant, je peignais...	avant, je suivais...

DÉCRIRE UN LOGEMENT

• chercher / trouver un logement – une agence immobilière – louer un appartement – une location – un loyer – les charges

• **Le quartier**
- le centre-ville – la banlieue – les équipements (un hôpital – une crèche – une piste cyclable – une piscine – une rue piétonne – un jardin public)
- un quartier agréable – calme / bruyant – vivant, animé

• **Les types d'habitation**
- un immeuble – une tour – le rez-de-chaussée – un étage – un escalier – un ascenseur
- un appartement – un studio – un deux-pièces – un appartement de 3 pièces – un appartement de 100 m²
- une maison – un jardin

• **Les parties de la maison**
- une entrée – un couloir – un escalier
- un salon – un séjour – une salle à manger – une cuisine – une chambre – un bureau
- une cave – un grenier – un garage
- une porte – une fenêtre

• **Quelques meubles et objets**
- Dans la cuisine : un réfrigérateur – un four – une plaque de cuisson
- Dans le salon : un canapé – un fauteuil – une table – des chaises – un tapis – des coussins – une lampe
- Dans la chambre : un lit – un oreiller – un traversin – un drap – une couverture – une couette
- Dans la salle de bain : une douche – une baignoire

1. DONNER DES INSTRUCTIONS
Répondez comme dans l'exemple.
En classe
a. – Je dois apprendre ces mots ?
– Oui, apprends-les !
b. – Je dois regarder cette vidéo ? – Oui, ... !
c. – Je dois apprendre ce point de grammaire ?
– Non, ... ! Il n'est pas au programme.
d. – Je dois lire cet article ? – Oui, ... !
e. – Nous devons écrire à nos correspondants ?
– Oui, ... !
f. – Nous devons faire beaucoup d'exercices ?
– Oui, ... !

2. UTILISER LES PRONOMS
Complétez les réponses en utilisant un pronom.
Rencontre au jardin du musée Rodin
a. Lui : Vous aimez ce musée ?
Elle : Oui, je ..., surtout le jardin.
b. Lui : Vous venez souvent ici ?
Elle : Non, je ... C'est la première fois.
c. Lui : Vous vivez à Paris ?
Elle : Non, je ... Je suis une touriste.
d. Lui : Vous restez longtemps à Paris ?
Elle : J'... quinze jours.
e. Lui : Vous connaissez le musée d'Art moderne ?
Elle : Non, je ...

3. EXPRIMER DES CONDITIONS
Imaginez la suite.
Pensées d'étudiant
a. Si j'ai un petit boulot en juillet, ...
b. Si je réussis à mon doctorat, ...
c. Je vais chercher un appartement si...
d. Nous allons faire une grande fête si...

4. DÉCRIRE UN INTÉRIEUR
Approuvez ou corrigez les phrases suivantes.
a. Du salon, on a une très belle vue.
b. Le salon est meublé avec des meubles anciens.
c. Sur le mur de gauche, un grand miroir est accroché.
d. Les murs sont blancs. Les rideaux et le canapé
sont gris.
e. Autour de la table du salon, il y a un canapé
et plusieurs fauteuils.
f. Sur le mur, à côté de la fenêtre, il y a des étagères.

5. DÉCRIRE UN LOGEMENT
**Écoutez. Un agent immobilier donne des
informations sur ces photos de logements.**
N° 108

a. Trouvez la photo qui correspond à la description.
b. Pour chaque logement, complétez le tableau.

	Logement 1	Logement 2	Logement 3
Situation			
Nombre de pièces			
Superficie en m²			
Loyer			
Avantage			

ANNEXES

Index des points de grammaire

LE PRÉSENT

• **Les verbes en -er**

Ils se conjuguent comme *parler*.
Cas particuliers (voir verbes irréguliers) :
– les verbes qui finissent par *-yer, -eler* ou *-eter*
– le verbe *aller*

Parler
je parl**e**
tu parl**es**
il / elle / on parl**e**
nous parl**ons**
vous parl**ez**
ils / elles parl**ent**

Remarque : À l'oral, il y a seulement trois formes :
(je = tu = il / elle = ils / elles) – nous – vous.

• **Les autres verbes**

Beaucoup de verbes ont les mêmes terminaisons que *finir*, mais il y a des cas particuliers (voir les verbes irréguliers).

Finir
je fin**is**
tu fin**is**
il / elle / on fin**it**
nous fin**issons**
vous fin**issez**
ils / elles fin**issent**

• **La conjugaison pronominale**

Elle utilise deux pronoms. Cette conjugaison donne un sens différent au verbe :
*Je **me** regarde dans la glace* (sens réfléchi).
*Elles **se** regardent* (sens réciproque).

Se regarder
je me regarde
tu te regardes
il / elle / on se regarde
nous nous regardons
vous vous regardez
ils / elles se regardent

LE PASSÉ COMPOSÉ

• **Cas général :** Le passé composé se forme avec ***avoir*** **(au présent) + participe passé**.
Le participe passé ne s'accorde pas avec le sujet du verbe.
Il s'accorde avec le complément, quand ce complément est placé avant le verbe : *Marie a vu ses amies à 17 h. Elle **les** a revu**es** le soir.*

Finir
j'ai fini
tu as fini
il / elle / on a fini
nous avons fini
vous avez fini
ils / elles ont fini

• **Cas des verbes :** aller – arriver – descendre – monter – mourir – naître – partir – passer – rester – retourner – revenir – sortir – venir – tomber.
Le passé composé se forme avec ***être*** **(au présent) + participe passé**.
Le participe passé s'accorde avec le sujet du verbe :
*Elles sont all**ées** au cinéma.*

Aller
je suis allé(e)
tu es allé(e)
il / elle / on est allé(e)(s)
nous sommes allé(e)s
vous êtes allé(e)(s)
ils / elles sont allé(e)s

• **Cas de la conjugaison pronominale :** Le participe passé se forme avec ***être*** **+ participe passé**.
Le participe passé s'accorde avec le sujet quand le verbe a un sens réfléchi ou réciproque.

Se lever
je me suis levé(e)
tu t'es levé(e)
il / elle / on s'est levé(e)(s)
nous nous sommes levé(e)s
vous vous êtes levé(e)(s)
ils / elles se sont levé(e)s

• **Le participe passé**

– **pour les verbes en -er → -é**   **ex. :** *donner → donné*
– **pour les autres verbes :** voir colonne « passé composé » dans la conjugaison des verbes irréguliers, pages 149 et 150.

L'IMPARFAIT

Il se forme en général à partir de la 1re personne du pluriel du présent.

Avoir : nous *avons* → *j'avais*   vendre : *nous vendons* → *je vendais*

Regarder
je regard**ais**
tu regard**ais**
il / elle / on regard**ait**
nous regard**ions**
vous regard**iez**
ils / elles regard**aient**

L'IMPÉRATIF

La conjugaison est proche du présent de l'indicatif.

• **Verbes en -*er* :** terminaison sans -*s* à la personne du singulier,
sauf quand l'impératif est suivi d'un pronom *en* ou *y* : *Vas-y ! Cherches-en !*

Manger
mange !
mangeons !
mangez !

Sortir
sors !
sortons !
sortez !

Cas particulier :

Être : *sois à l'heure – soyons à l'heure – soyez à l'heure !*

Avoir : *aie du courage – ayons du courage – ayez du courage !*

Les principes généraux que nous venons de présenter et les tableaux suivants vous permettront de trouver la conjugaison de tous les verbes introduits dans cette méthode.

Exemples :
• Verbe *donner* : c'est un verbe en *-er* régulier. Il suit les principes généraux et ne figure donc pas dans la liste suivante.
• Verbe *lire* : si on trouve ci-dessous « je lis, ... nous lisons, ... » c'est que les autres formes correspondent aux principes généraux : « tu lis, il / elle lit, ... vous lisez, ils / elles lisent ».

Infinitif	Présent de l'indicatif	Passé composé	Imparfait
Aller	je vais, tu vas, il / elle va, nous allons, vous allez, ils / elles vont	je suis allé(e)	j'allais
Apprendre	j'apprends, ... il / elle apprend, nous apprenons, ... ils / elles apprennent	j'ai appris	j'apprenais
Asseoir (s')	je m'assieds, ... il / elle s'assied, nous nous asseyons, ... ils / elles s'asseyent	je me suis assis(e)	je m'asseyais
Attendre	j'attends, ... il / elle attend, nous attendons, ... ils / elles attendent	j'ai attendu	j'attendais
Avoir	j'ai, tu as, il / elle a, nous avons, vous avez, ils / elles ont	j'ai eu	j'avais
Boire	je bois, ... nous buvons, ... ils / elles boivent	j'ai bu	je buvais
Choisir	je choisis, ... nous choisissons, ...	j'ai choisi	je choisissais
Comprendre	je comprends, ... il / elle comprend, nous comprenons, ... ils / elles comprennent	j'ai compris	je comprenais
Connaître	je connais, ... il / elle connaît, nous connaissons, ...	j'ai connu	je connaissais
Croire	je crois, ... nous croyons, ... ils / elles croient	j'ai cru	je croyais
Découvrir	je découvre, ... il / elle découvre, nous découvrons, ...	j'ai découvert	je découvrais
Descendre	je descends, ... il / elle descend, nous descendons, ... ils / elles descendent	j'ai descendu	je descendais
Devoir	je dois, ... il / elle doit, nous devons, ... ils / elles doivent	j'ai dû	je devais
Dormir	je dors, ... nous dormons, ...	j'ai dormi	je dormais
Écrire	j'écris, ... nous écrivons, ...	j'ai écrit	j'écrivais
Ennuyer (s')	je m'ennuie, ... nous nous ennuyons, ... ils / elles s'ennuient	je me suis ennuyé(e)	je m'ennuyais
Entendre	j'entends, ... il / elle entend, nous entendons, ...	j'ai entendu	j'entendais
Envoyer	j'envoie, ... nous envoyons, ... ils / elles envoient	j'ai envoyé	j'envoyais
Essayer	j'essaie, ... nous essayons, ... ils / elles essaient	j'ai essayé	j'essayais
Être	je suis, tu es, il / elle est, nous sommes, vous êtes, ils / elles sont	j'ai été	j'étais
Faire	je fais, ... nous faisons, vous faites, ils / elles font	j'ai fait	je faisais
Falloir	il faut	il a fallu	il fallait
Finir	je finis, ... nous finissons, ...	j'ai fini	je finissais

Infinitif	Présent de l'indicatif	Passé composé	Imparfait
Inscrire (s')	je m'inscris, ... il / elle s'inscrit, nous nous inscrivons, ...	je me suis inscrit(e)	je m'inscrivais
Lire	je lis, ... nous lisons, ...	j'ai lu	je lisais
Louer	je loue, ... nous louons, ...	j'ai loué	je louais
Mettre	je mets, ... nous mettons, ...	j'ai mis	je mettais
Mourir	je meurs, ... nous mourons, ...	je suis mort(e)	je mourais
Offrir	j'offre, ... nous offrons, ...	j'ai offert	j'offrais
Ouvrir	j'ouvre, ... nous ouvrons, ...	j'ai ouvert	j'ouvrais
Partir	je pars, ... nous partons, ...	je suis parti(e)	je partais
Payer	je paie, ... il / elle paie nous payons, ... ils / elles paient	j'ai payé	je payais
Peindre	je peins, ... il / elle peint, nous peignons, ...	j'ai peint	je peignais
Perdre	je perds, ... il / elle perd, nous perdons, ... ils / elles perdent	j'ai perdu	je perdais
Plaire	je plais, ... il / elle plaît nous plaisons, ...	j'ai plu	je plaisais
Pleuvoir	il pleut	il a plu	il pleuvait
Pouvoir	je peux, tu peux, il / elle peut, nous pouvons, vous pouvez, ils / elles peuvent	j'ai pu	je pouvais
Prendre	je prends, ... il / elle prend, nous prenons, ... ils / elles prennent	j'ai pris	je prenais
Produire	je produis, ... nous produisons, ...	j'ai produit	je produisais
Recevoir	je reçois, ... il / elle reçoit, nous recevons, ... ils / elles reçoivent	j'ai reçu	je recevais
Réfléchir	je réfléchis, ... nous réfléchissons, ...	j'ai réfléchi	je réfléchissais
Répondre	je réponds, ... il / elle répond, nous répondons, ...	j'ai répondu	je répondais
Réussir	je réussis, ... nous réussissons, ...	j'ai réussi	je réussissais
Revenir	je reviens, ... nous revenons, ... ils / elles reviennent	je suis revenu(e)	je revenais
Savoir	je sais, ... nous savons, ... ils / elles savent	j'ai su	je savais
Sentir (se)	je me sens... il / elle se sent... nous nous sentons...	je me suis senti(e)	je me sentais
Sortir	je sors, ... nous sortons, ...	je suis sorti(e)	je sortais
Suivre	je suis, ... nous suivons, ...	j'ai suivi	je suivais
Traduire	je traduis, ... nous traduisons, ...	j'ai traduit	je traduisais
Vendre	je vends, ... il / elle vend, nous vendons, ...	j'ai vendu	je vendais
Venir	je viens, ... nous venons, ... ils / elles viennent	je suis venu(e)	je venais
Vivre	je vis, ... nous vivons, ...	j'ai vécu	je vivais
Voir	je vois, ... nous voyons, ... ils / elles voient	j'ai vu	je voyais
Vouloir	je veux, ... il / elle veut, nous voulons, ... ils / elles veulent	j'ai voulu	je voulais

Unité 0

Leçon 1

 Page 12, Séquence 1 – La villa Marie-Claire
N° 1

Mélanie : Bonjour ! Moi, je m'appelle Mélanie.

Mélanie : Mamie, au revoir !
Madame Dumas : Au revoir, Mélanie !
Mélanie : Elle, elle s'appelle Marie-Claire, Marie-Claire Dumas. C'est ma grand-mère.

Mélanie : Salut Greg !
Greg : Salut Mélanie !
Mélanie : Lui, c'est Grégoire... Greg... un artiste... Et vous, vous vous appelez comment ?

Leçon 2

 Page 15, Exercice 4
N° 7

Écoutez et mimez la consigne.
a. Écrivez « 2 ». – **b.** Répétez : « Bonjour ». –
c. Écoutez le professeur. – **d.** Regardez la photo, page 9. – **e.** Lisez la page 8. – **f.** Demandez comment s'appelle votre voisin ou votre voisine. –
g. Écrivez votre nom.

 Page 15, Exercice 5
N° 8

Regardez les panneaux. Écoutez.
Hôtel de Paris... à Saint-Tropez. – Avenue des Champs-Élysées – Restaurant *Au Rendez-vous de Montmartre* – Nous aimons... les Deux Alpes.

Leçon 3

 Page 16, Séquence 2 – Bonjour Greg !
N° 13

Mᵐᵉ Dumas : Bonjour Greg.
Greg : Bonjour madame Dumas.
Mᵐᵉ Dumas : Ça va ?
Greg : Ça va. Et vous ?
Mᵐᵉ Dumas : Ça va. Un café ?
Greg : Oui, s'il vous plaît... Merci.

Mᵐᵉ Dumas : Vous aimez mon café ?
Greg : Oui, oui, super !

Mélanie : Bonjour Mamie !
Mᵐᵉ Dumas : Bonjour Mélanie.
Greg : Bonjour Mélanie.
Mélanie : Ça va ?
Greg : Ça va. Et toi ?
Mélanie : Ça va. Tu aimes les croissants ?
Greg : Oui, oui, super !

Greg : Bon, ben, merci ! Au revoir...
Mélanie : Greg ! Les croissants.
Greg : Oh, excuse-moi.
Mélanie : De rien. Au revoir, Greg.
Greg : Ciao !

Bilan

 Page 18, Exercice 3
N° 17

Écoutez. Trouvez le nom qui est épelé.
a. Lucas : L – U – C – A – S
b. Louis : L – O – U – I – S
c. Anne : A – deux N – E
d. Vincent : V – I – N – C – E – N – T
e. Isabelle : I – S – A – B – E – deux L – E

 Page 18, Exercice 5
N° 18

Écoutez et mimez la consigne.
a. Regardez la photo page 9. – **b.** Lisez le livre page 10. – **c.** Regardez le professeur. –
d. Écoutez votre voisin ou voisine. –
e. Répétez « Mélanie ».

Unité 1

Leçon 1

 Page 20, Séquence 3 – Un nouveau locataire
N° 20

Ludovic : Bonjour.
Mélanie : Bonjour monsieur.
Ludovic : Je suis Ludovic Dubrouck.
Mélanie : Pardon ?
Mᵐᵉ Dumas *(dans la villa)* **:** C'est qui ?
Ludovic : Ludovic Dubrouck. C'est pour la chambre.
Mᵐᵉ Dumas *(à la porte)* **:** Ah, monsieur Dubrouck, bonjour ! Entrez.
Ludovic : Merci.

Mᵐᵉ Dumas : Voilà, c'est ma petite-fille : Mélanie. Ludovic Dubrouck... Ludovic est belge.
Mélanie : Ah, tu es belge ! Tu habites où en Belgique ?
Ludovic : À Bruxelles.
Mélanie : C'est sympa Bruxelles... Un coca ? Un café ?
Ludovic : Un café, s'il te plaît.
Mélanie : Assieds-toi...

Leçon 2

 Page 22, Phonétique
N° 22

Cochez dans le tableau. Répétez.
1. Elle est italienne... – **2.** Elle est allemande... –
3. Il est suisse... – **4.** Il est américain... – **5.** Elle est suisse... – **6.** Il est polonais...

 Page 23, Exercice 5
N° 23

Écoutez. Notez leur activité préférée.
a. Moi, j'aime le cinéma. J'aime aussi le ski.
b. Je suis inscrite dans une école de danse. J'aime aussi le théâtre.
c. Je suis sportif. J'aime tous les sports : le tennis... le football...
d. Moi, je regarde la télévision. J'aime bien aussi la musique. Toutes les musiques : l'électro, la pop, le rock...

Leçon 3

 Page 24, Séquence 4 – L'entreprise Florial
N° 24

Li Na : Bonjour. Je cherche madame Dominique Adrien.
L'employée : Excusez-moi, je ne comprends pas. Vous cherchez madame... ?
Li Na : Adrien, madame Dominique Adrien.
L'employée : Je ne connais pas. Vous écrivez comment Adrien ? Avec un A ou avec un H ?
Li Na : Regardez...
L'employée : Ah, je comprends ! Ce n'est pas madame Dominique Adrien, c'est monsieur Adrien Dominique.
Li Na : Oh, excusez-moi.
L'employée : Ce n'est pas grave... Excusez-moi, vous êtes ?

Li Na : Li Na Wang. Je suis la nouvelle stagiaire du service marketing.
L'employée : Monsieur Dominique, c'est le bureau 42, par là.
Li Na : Merci.

Leçon 4

 Page 26, Phonétique
N° 27

Distinguez [y], [u] et [i]. Répétez.
– Salut, Lou !
– Salut, Lisa ! Tu habites où ?
– Rue de Rivoli ? Rue du Roule ?
– Non, j'habite à Toulouse
Dans la nouvelle avenue
Tout près de la statue.

Bilan

 Page 32, Exercice 5
N° 28

Écoutez et cochez la bonne case.
1. Mon amie italienne aime le théâtre.
2. Les étudiantes japonaises parlent anglais.
3. Voici le nouveau professeur d'espagnol.
4. Je connais des chanteurs polonais.
5. Les étudiantes étrangères cherchent le centre culturel.

Unité 2

Leçon 1

 Page 35, Séquence 5 – Où est le bureau 42 ?
N° 30

Li Na : Excusez-moi, je cherche le bureau 42.
Jean-Louis *(à Éric)* **:** Éric, le bureau 42, tu connais ?
Éric : Qui est au bureau 42 ?
Li Na : Monsieur Adrien Dominique.
Éric : Ah, monsieur Dominique. Alors, c'est tout droit... et au bout du couloir, tournez à gauche... Dans le couloir, c'est le deuxième bureau à droite.
Li Na : Tout droit... À gauche... Deuxième bureau à droite.
Jean-Louis : Bravo, c'est ça !
Li Na : Ok. Merci.

Li Na : Vous allez au bureau 42 ?
Ludovic : Non, je vais au 45...
Li Na : Le 45, il est là.
Ludovic : Ah oui, merci. Alors le 42, il n'est pas loin.
Li Na : Oui, c'est ici. Au revoir.
Ludovic : Au revoir.

Leçon 3

 Page 38, Séquence 6 – Rencontre
N° 32

Li Na : Ah, c'est vous... Est-ce que vous travaillez pour Florial ?
Ludovic : Oui.
Li Na : Moi aussi. Au service marketing. Et vous, c'est dans quel service ?
Ludovic : Informatique.
Li Na : On se dit « tu » alors ?
Ludovic : D'accord.

Li Na : Tu viens d'où ?
Ludovic : De Bruxelles. Et toi ?
Li Na : De Shanghai.
Ludovic : Est-ce que tu es chinoise ?
Li Na : Chinoise et française...
Li Na : Et à Paris, où est-ce que tu habites ?

Ludovic (il montre une affiche) : J'habite là, à Saint-Cloud.
Li Na : Je ne connais pas. C'est bien ?
Ludovic : C'est près de Paris. Il y a un beau parc.
Li Na (elle montre l'affiche de la tour Eiffel) : Moi, j'habite ici.
Ludovic : Dans la tour Eiffel ?
Li Na : À côté.
Ludovic : Non !
Li Na : Si !
Ludovic : Génial !

 Page 38, Phonétique
N° 33
Répétez la question en utilisant « Est-ce que... ».
Curiosité
Tu connais Paula ? → Est-ce que tu connais Paula ?
Elle est espagnole ? → Est-ce qu'elle est espagnole ?
Elle habite où ? → Où est-ce qu'elle habite ?
Elle connaît Greg ? → Est-ce qu'elle connaît Greg ?
Il parle espagnol ? → Est-ce qu'il parle espagnol ?

Leçon 4

 Page 41, Exercice 4
N° 34
Écoutez. Marie et Lucas parlent des vacances. Répondez.
Marie : En été, je suis en vacances sur la Côte d'Azur. Tu viens ?
Lucas : D'accord.
Marie : Tu viens quand ? En juillet ?
Lucas : Non, en juillet je vais à Lyon, au festival de Fourvière.
Marie : Tout le mois ?
Lucas : Non, du 10 au 25 juillet.
Marie : Viens après le 25.
Lucas : Ok. La première semaine d'août ?
Marie : D'accord.
Lucas : Bon, j'arrive le 2 août.
Marie : Ok. C'est noté.

Bilan

 Page 46, Exercice 6
N° 35
Écoutez et complétez les phrases.
Julie : Bonjour Cédric ! Tu vas bien ?
Cédric : Ça va et toi ?
Julie : Ça va. Nous déjeunons quand tous les deux ?
Cédric : Euh...lundi ?
Julie : Non, pas lundi. Je rentre de week-end mardi.
Cédric : Ah, et moi, mardi et mercredi je vais à Marseille.
Julie : Alors jeudi, c'est bon pour toi ?
Cédric : C'est bon. Nous allons au restaurant du parc ?
Julie : D'accord.

Unité 3

Leçon 1

 Page 48, Séquence 7 – La famille de Mélanie
N° 36
Greg (il frappe à la porte) : C'est Greg !
Mélanie (elle ouvre) : Oui, Greg.
Greg : Tiens, tes ciseaux, merci...
Mélanie : Merci.
Greg : Je peux entrer ?
Mélanie : Euh, oui... Je travaille... Mais d'accord, une minute.
Greg : C'est qui, là, avec toi sur la photo ?
Mélanie : Mon père.
Greg : Ton père ! Il est jeune !

Mélanie : Il a cinquante ans. Et moi, j'ai vingt-quatre ans.
Greg : Il fait quoi ?
Mélanie : Il travaille à l'étranger, dans les ambassades. Là, on est à Mexico.
Greg : C'est cool... Et, là, c'est ta famille ? Je vois ta grand-mère...
Mélanie : Alors, là, à gauche, c'est Thomas mon cousin. Puis, c'est ma tante. Puis, mon oncle, le frère de ma mère. Puis ma grand-mère. Ma mère et son compagnon.
Greg : Tu as des frères, des sœurs ?
Mélanie : Non, je suis fille unique... Voilà, maintenant, je suis désolée, Greg. Je voudrais travailler.
Greg : Ok, à plus.
Mélanie : C'est ça. À bientôt.

 Page 48, Phonétique
N° 37
a. Distinguez [ʃ] et [ɔ].
1. mon père – **2.** l'école – **3.** le téléphone – **4.** continuez – **5.** ils vont – **6.** un homme – **7.** c'est bon – **8.** la sortie – **9.** c'est ton ami – **10.** l'informatique

 Page 49, Exercice 8
N° 39
Écoutez. Notez leur date de naissance. Dites leur âge.
1. La reine d'Angleterre est née le 21 avril 1926.
2. La chanteuse Lady Gaga est née le 28 mars 1986.
3. Tintin est né en 1930, en janvier, le 10 janvier.
4. L'actrice Bérénice Bejo est née en juillet 1976, le 7.
5. Le président Barack Obama est né au mois d'août 1961, le 4 août.

Leçon 2

 Page 51, Exercice 3
N° 40
Écoutez les messages enregistrés. Associez chaque message à une partie du document « Aix-en-Provence pratique ».
1. Vous êtes bien à l'accueil de la banque BNP Paribas. Nous sommes fermés actuellement. Aujourd'hui lundi 4 avril la banque est ouverte de 9 h à 12 h 30 et de 14 h à 18 h.
2. Bienvenue au restaurant *Côté cour*, 19 cours Mirabeau. Le restaurant est fermé aujourd'hui. Demain, nous sommes ouverts de midi à 14 h et de 19 h à 22 h.
3. Vous êtes bien en relation avec le cinéma *Le Cézanne*. Voici le programme d'aujourd'hui : *Lucy* : version française à 11 h, 13 h 15, 15 h 50, 17 h 30, 19 h 45 - film en version originale à 21 h 15 *Les Garçons et Guillaume à table* à 15 h 35

 Page 51, Phonétique
N° 42
b. Distinguez [œ], [ɔ] et [ø].
1. Huit heures. – **2.** On sort ? – **3.** Nous sommes deux. – **4.** Et ta sœur ? – **5.** Elle peut ? – **6.** Non, elle dort.

Leçon 3

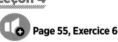 **Page 53, Séquence 8 – Des habitudes différentes**
N° 43
Le soir
Mᵐᵉ Dumas : Désolée, il est huit heures et quart. Je voudrais voir *Plus belle la vie*.
Ludovic : C'est quoi ?
Mélanie : Une série. La série préférée de ma grand-mère. Elle adore... Moi, je n'aime pas du tout. Mais ce soir, il y a un bon film.

Ludovic : À quelle heure ?
Mélanie (elle regarde le programme télé) : Attends... À dix heures et demie.
Ludovic : Oh là, c'est tard. Demain, je travaille à huit heures.
Plus tard
Mélanie : Tu vas où ?
Greg : Prendre une douche.
Mélanie : Ah, non ! Toi, tu prends ta douche le matin ou alors, tu attends.
Greg : Ok, ok, j'attends.
(La porte de la salle de bain est fermée.)
Mélanie : Qui est dans la salle de bain ?
Ludovic : C'est moi !
Mélanie : Oh, non !
Le matin
Mᵐᵉ Dumas : Monsieur Dubrouck, vous avez de la confiture de fraises.
Ludovic : Non merci. Je n'ai pas très faim.
Mᵐᵉ Dumas : C'est ma confiture... Avec les fraises de mon jardin.
Mélanie : Mamie, il ne prend pas de confiture.
Ludovic : Moi, le matin, je prends juste un café.
Mᵐᵉ Dumas : Juste un café ? C'est pas bien, ça. Il y a aussi de la confiture de cerises.
Mélanie : Avec les cerises de son jardin... Mamie, arrête, il prend juste un café.

 Page 53, Phonétique
N° 44
a. Distinguez [ɑ̃] et [a]. Écoutez et répétez.
Sur la photo
– C'est ta tante ?
– Oui, elle a trente ans.
Ici, c'est ma maman.
Là, c'est ma grand-mère Graziella.
Elle parle l'anglais
Et la langue allemande.

 Page 53, Phonétique
N° 45
b. Distinguez [ɑ̃] et [ʃ]. Écoutez et répétez.
Voyage
Nous venons de Dinan.
Nous allons à Milan.
Nous partons par beau temps.
Et nous arrivons vendredi.

Leçon 4

Page 55, Exercice 6
N° 47
Écoutez. Margot travaille chez Renault. Simon interroge Margot sur son emploi du temps de vendredi et de samedi. Complétez l'agenda.
Simon : Qu'est-ce que tu fais vendredi soir ?
Margot : Vendredi soir... je vais au théâtre avec mon copain Nicolas. Vendredi, c'est une journée difficile. Je me lève à 8 heures... À 10 heures, j'ai une réunion chez Renault, sur un nouveau projet... une nouvelle voiture. À 13 heures, je déjeune avec mon directeur... et l'après-midi, je travaille au nouveau projet... À 17 heures, je vais au pot de départ de Jean, un collègue... À 19 heures, j'ai rendez-vous avec Nicolas et nous allons au théâtre, à la Comédie française.
Simon : Et samedi, tu es libre ?
Margot : Ben non, je suis désolée Simon... Samedi, je n'ai pas une minute à moi. À 10 heures, j'ai rendez-vous au café avec trois copines. On prend un petit-déjeuner. Puis, on va faire un tennis.
Simon : Et l'après-midi, tu n'es pas libre ?
Margot : Ben non. À 13 heures, je déjeune avec Nicolas et l'après-midi nous allons au cinéma, à la séance de 16 heures. À 19 heures, je suis chez moi. J'ai un travail à faire pour lundi.

Bilan

Page 60, Exercice 4
N° 48

Olivier parle de ses goûts. Notez ses préférences.
Odile : Qu'est-ce que tu fais comme activités ?
Tu fais du sport ?
Olivier : Non, pas beaucoup. Je fais un peu de
tennis avec un copain le samedi mais c'est tout.
Odile : Alors, qu'est-ce que tu aimes ?
Olivier : La musique.
Odile : La musique classique, la chanson ?
Olivier : Ah non, je n'aime pas du tout la musique
classique ! Moi, c'est la musique électro, le rap.
J'adore ça. Je vais à tous les concerts.
Odile : Et la télé ?
Olivier : Je ne regarde pas la télé. J'aime bien les
séries comme *The Walking Dead* mais je regarde
ça sur mon ordinateur.
Odile : Tu préfères le cinéma ?
Olivier : Ah oui ! Toutes les semaines je vais
au cinéma et je regarde des films sur internet.

Page 60, Exercice 6
N° 49

Notez l'emploi du temps du week-end de Sarah.
Nicolas : Qu'est-ce que tu fais pour le week-end ?
Sarah : Samedi matin, à dix heures, je vais à mon
cours de danse.
Nicolas : Jusqu'à quelle heure ?
Sarah : Jusqu'à midi. Après je déjeune avec une
amie de l'école de danse.
Nicolas : Et l'après-midi ?
Sarah : L'après-midi je travaille. À deux heures
je suis chez un copain étudiant. On va préparer
un Powerpoint... À six heures je rentre chez moi...
Le soir, à huit heures, je vais à une fête.
Nicolas : Et dimanche ?
Sarah : Oh, dimanche je me lève tard... 11 heures,
midi, pas avant. Mais l'après-midi je suis libre.
Nicolas : On va au cinéma ?
Sarah : D'accord. Mais avant, je voudrais bien
aller un peu dans le parc.
Nicolas : Bon. Je viens chez toi à quelle heure ?
Sarah : Viens à une heure. On va au café prendre
un sandwich. On se promène dans le parc... et on
va au cinéma à cinq heures. Ça va ?
Nicolas : Ok.

Unité 4

Leçon 1

Page 63, Séquence 9 – Projet de sortie
N° 50

Greg : Samedi soir, tu fais quoi ?
Mélanie : Je ne sais pas. Et toi ?
Greg : Je vais écouter le groupe Phoenix !
Tu connais ?
Mélanie : Bien sûr... J'adore !
Greg : Tu veux venir avec moi ?
Mélanie : Oui, c'est une idée.
Greg : Super !
Mélanie : Tu sais... Ludo aussi aime beaucoup Phoenix.
Greg : Ah bon ?
Mélanie : Il peut venir ?
Greg : Bien sûr.
Mélanie : Je vais appeler Ludo. (*Elle appelle Ludovic
sur son portable*) Ludo ? C'est Mélanie. Voilà,
samedi je vais écouter le groupe Phoenix, avec
Greg. Tu as envie de venir ? Ok ! (*à Greg*) Il dit qu'il
vient avec nous.
Greg : Très bien.
Mélanie (*à Ludo*) **:** Oui Ludo ? Attends, je demande
à Greg. (*à Greg*) Il demande s'il peut venir avec une
amie.

Greg : Ben oui !
Mélanie (*à Ludo*) **:** C'est d'accord. Elle s'appelle
comment ? Li Na ? .... En deux mots ! ... Ah, elle
est chinoise ! Alors, à bientôt Ludo ! (*à Greg*)
Voilà ! Il vient avec une amie chinoise.
Greg : Alors... nous allons être quatre.
Mélanie : Tu vas trouver des places ?
Greg : Je vais voir.

Page 63, Exercice 6
Écoutez. Vous recevez un appel
téléphonique. Rapportez les paroles
N° 52 **à votre voisin(e).**

Bonjour, je m'appelle Romain Dumas. Je suis un
ami de votre professeur... Je suis à la gare... Est-
ce que je peux loger chez vous ?... Est-ce que
ma copine peut venir aussi ?

Leçon 3

Page 66, Séquence 10 –
Coup de fatigue
N° 55

Li Na : Ça ne va pas ?
Ludovic : Pas très bien... Je... je suis fatigué...
J'ai mal à la tête...
Li Na : Repose-toi un peu !
(*Mélanie sort*)
Mélanie : Qu'est-ce qu'il y a ? Tu es malade ?
Li Na : Il est fatigué.
Mélanie : Moi aussi. (*à Ludo*) Tu as envie de rester ?
Ludovic : Non.
Mélanie : Moi non plus. On rentre ?
Ludo : Je veux bien. Il fait caillant ici !
Li Na : Quoi ? Qu'est-ce que tu dis ?
Ludovic : « Il fait caillant ». C'est une expression
belge.
Li Na : Qu'est-ce que ça veut dire ?
Ludovic : Ça veut dire qu'il fait froid.
Mélanie : Je suis d'accord. Allez ! Ne restons pas
ici ! J'appelle un taxi.
Li Na : Et Greg ?
Mélanie : Ne t'inquiète pas, il est avec des amis.
(*Greg arrive*)
Greg : Il y a un problème ?
Mélanie : Ludo et moi, on est fatigués. On rentre.
Li Na : Et moi aussi !
Greg : Ah non ! Vous n'êtes pas sympas.

Leçon 4

Page 68, Phonétique
N° 57 **Répondez négativement.**

Un homme au régime
– Il mange beaucoup ? – Non, il ne mange pas
beaucoup.
– Il boit du vin ? – Non, il ne boit pas de vin.
– Il aime l'eau ? – Non, il n'aime pas l'eau.
– Il mange du pain ? – Non, il ne mange pas de pain.
– Il prend des pommes de terre ? – Non, il ne
prend pas de pommes de terre.
– Il préfère la salade ? – Non, il ne préfère pas la
salade.

Bilan

Page 74, Exercice 6
Écoutez. Notez les loisirs de Clara
N° 58 **et Jérémie dans le tableau.**

Jérémie : Le week-end prochain, je vais faire
du ski, avec des copains. Tu veux venir ?
Clara : Le ski, je n'aime pas beaucoup. En fait,
je n'aime pas le froid. Alors, en hiver, mon plaisir
c'est de rester chez moi, de faire la cuisine pour
les copines et les copains... Et puis aussi d'aller
au théâtre.
Jérémie : Ah oui, c'est vrai. Tu es très théâtre...
et tu es dans un groupe de théâtre, c'est ça ?

Clara : Oui, on prépare une pièce pour la fin de
l'année.
Jérémie : En fait, tu n'es pas très sportive.
Clara : Si, je fais du sport dans une salle de sport et
en été je fais de la randonnée. Et toi, à part le ski ?
Jérémie : Tous les jours, je fais un jogging... et en
été, du VTT.
Clara : Je vois. Surtout du sport.
Jérémie : Du sport mais aussi de la musique.
Je suis chanteur dans un groupe de rock.
Clara : Ah bon ! Quel groupe ?

Unité 5

Leçon 1

Page 76, Phonétique
a. Distinguez le présent et le passé.
N° 59 **Cochez la bonne case.**

1. J'aime voyager. – **2.** J'ai visité l'Italie. – **3.** Je vais
en Italie tous les étés. – **4.** Je connais la ville de
Venise. – **5.** J'ai aimé la ville de Rome. – **6.** Je suis
allé en Sicile.

Page 76, Phonétique
b. Répondez comme dans l'exemple.
N° 60

Interrogatoire
– Qu'est-ce que vous avez fait dans la journée
de samedi ? Vous avez déjeuné au restaurant
ou chez vous ?
– J'ai déjeuné chez moi.
– Vous avez regardé la télévision ou vous êtes sorti ?
– Je suis sorti.
– Vous êtes allé au café ou au cinéma ?
– Je suis allé au cinéma.
– Vous avez vu un film américain ou un film français ?
– J'ai vu un film français.
– Après le film, vous êtes rentré chez vous
ou vous vous êtes promené ?
– Je me suis promené.

Page 76, Phonétique
c. Répondez *oui* ou *non* selon votre
N° 61 **expérience.**

– Vous êtes allé(e) en France ?
– Oui, je suis allé en France. / – Non, je ne suis
pas allée en France.
– Vous avez vu Paris ?
– Oui, j'ai vu Paris. / – Non, je n'ai pas vu Paris.
– Vous avez lu *Les Misérables* de Victor Hugo ?
– Oui, j'ai lu *Les Misérables* de Victor Hugo. /
– Non, je n'ai pas lu *Les Misérables* de Victor Hugo.
– Vous avez mangé dans un restaurant français ?
– Oui, j'ai mangé dans un restaurant français. /
– Non, je n'ai pas mangé dans un restaurant français.

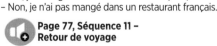
Page 77, Séquence 11 –
Retour de voyage
N° 62

Mᵐᵉ Dumas : Salut !
Mélanie : Ah, bonjour Mamie ! Alors, tu as fait
un bon voyage ?
Mᵐᵉ Dumas : Super !
Mélanie : Tu es allée où ?
Mᵐᵉ Dumas : En Normandie. J'ai vu la maison de
Monet. Mon rêve.
Bertrand : Et le jardin avec les nymphéas...
Mᵐᵉ Dumas : Oui ! Et on a visité Château-Gaillard. On
a dormi dans un hôtel très romantique... Et le dîner :
délicieux ! On a mangé... Qu'est-ce que j'ai pris ?
Bertrand : Euh... Des coquilles Saint-Jacques.
Mᵐᵉ Dumas : Ah oui, des coquilles Saint-Jacques !
Et au dessert, une tarte aux pommes.
Mélanie (*à Bertrand*) **:** Mais, asseyez-vous, monsieur...
Mᵐᵉ Dumas : Oh pardon, j'oublie les présentations !
Bertrand, un... copain. Nous avons fait le voyage
ensemble. Mélanie, ma petite-fille.

Bertrand : Enchanté.
Mélanie : Bonjour.
Mᵐᵉ Dumas : Mélanie est étudiante à l'université. Elle fait un doctorat d'allemand.
Bertrand : Un doctorat d'allemand ? C'est difficile ça !
Mélanie : Je travaille sur l'écrivain Patrick Süskind.
Bertrand : Ah... Süskind ! C'est magnifique !
Mélanie : Vous avez lu Süskind ?
Bertrand : Ah, oui, oui, oui, j'ai lu son roman, *Le Parfum*, génial ! Et j'ai vu sa pièce de théâtre, *La Contrebasse*. Excellent !
Mᵐᵉ Dumas *(à Mélanie) :* Il est bien, hein, mon copain ?

Leçon 2

Page 79, Exercice 3
N° 64 Écoutez ces annonces. Pour chaque annonce, trouvez l'information et ce qu'on doit faire.
Annonce 1 : Le train TGV n° 8051 en provenance de Montpellier et à destination de Paris gare de Lyon va entrer en gare au quai A.
Annonce 2 : Notre avion va atterrir dans quelques instants. Nous invitons tous les passagers à vérifier que leur ceinture est bien attachée, le dossier de leur siège placé en position verticale, la tablette placée devant eux relevée et leurs appareils électroniques passés en mode avion.
Annonce 3 : Le vol AF53 à destination de Buenos Aires est maintenant prêt pour l'embarquement. Nous invitons tous les passagers à se rendre en zone d'embarquement porte 39.
Annonce 4 : Le train TER n° 871809 en provenance de Toulouse et à destination de Bordeaux est annoncé quai 8 avec 15 minutes de retard.
Annonce 5 : Notre avion est maintenant prêt pour le décollage. Nous invitons tous les passagers à vérifier que leur ceinture est bien attachée, le dossier de leur siège relevé, leur bagage à main placé sous le siège avant et leurs appareils électroniques éteints.

Leçon 3

Page 80, Séquence 12 –
Réunion chez Florial
N° 62

Éric : Ne te mets pas là.
Ludovic : Pourquoi ?
Éric : Parce que c'est la place de la directrice.
Ludovic : Ah bon ?

Jean-Louis : Il y a un portable, là. Il est à qui ? À toi, Éric ?
Éric : Non, Jean-Louis. C'est le portable de monsieur Dubrouck.
Jean-Louis : Monsieur Dubrouck, c'est votre portable ?
Ludovic : Oui, oui, il est à moi.
Jean-Louis : Attention, pas de portable pendant la réunion.

L'employée : Monsieur Dubrouck ?
Ludovic : Oui.
L'employée : Mademoiselle Wang ? Vos billets pour Milan.
Li Na : Nos billets pour Milan ? Mais pourquoi ?
L'employée : Parce que vous allez au salon de Milan.
Ludovic : Quand ?
L'employée : Lundi. Et vous restez jusqu'à mercredi.
Ludovic : Mais pourquoi ?
L'employée : La directrice va vous expliquer. Alors... Départ lundi, à Roissy, à 8 h 15. Rendez-vous à Roissy, à 7 h.
L'employée : Chut ! Écoutez !
La directrice : Nous allons commencer la réunion de préparation du salon de Milan...

Page 80, Phonétique
a. Répondez *oui* comme dans l'exemple.
N° 66

Dans le train
– C'est votre sac ? – Oui, il est à moi.
– C'est la valise de votre voisine ? – Oui, elle est à elle.
– C'est le journal de votre voisin ? – Oui, il est à lui.
– Ce sont les livres de vos enfants ? – Oui, ils sont à eux.

Page 80, Phonétique
b. Répondez *non* comme dans l'exemple.
N° 67

Rangement
– C'est ton portable ? – Non, il n'est pas à moi.
– C'est le stylo de Greg ? – Non, il n'est pas à lui.
– C'est le sac de Mélanie ? – Non, il n'est pas à elle.
– Ce sont vos livres ? – Non, ils ne sont pas à nous.

Leçon 4

Page 83, Exercice 6
N° 68 Écoutez la météo du 24 février. Faites la carte du temps pour cette journée.

Le temps pour la journée du 24 février. Aujourd'hui, magnifique journée pour la moitié nord du pays. Quelques nuages sur la Bretagne le matin, puis du soleil à partir de midi... Du soleil aussi sur la région parisienne et le Nord... Températures de saison : 16 °C à Nantes, 14 °C à Paris, 12 °C à Strasbourg. Dans la moitié sud, c'est différent. Il va neiger sur les montagnes : les Pyrénées, le Massif central et les Alpes... et il va faire très froid ! Jusqu'à -5 °C à Clermont-Ferrand et à Grenoble. Dans le sud-ouest, on annonce de la pluie et du vent avec 10 °C à Toulouse.
Pas de pluie sur le sud-est mais beaucoup de nuages et il va faire 14 °C à Marseille et 16 °C à Nice.

Bilan

Page 88, Exercice 4
N° 69 Regardez la carte météo du 3 octobre. Écoutez ces questions. Répondez et précisez.
a. Demain, en Bretagne, il va faire beau ? – **b.** Et à Paris, il va faire soleil ? – **c.** Il va faire froid à Paris ? – **d.** On dit que dans le Nord et dans l'Est, à Strasbourg par exemple, il va pleuvoir. C'est vrai ? – **e.** On dit aussi qu'il va neiger en montagne. C'est vrai ? – **f.** Sur la Côte d'Azur, il va faire chaud ?

Page 88, Exercice 7
N° 70 b. Écoutez. À quel panneau correspond chaque phrase ?

1. Excusez-moi, où est la sortie du magasin ? – **2.** Le château est fermé ? Quand est-ce qu'on peut le visiter ? – **3.** Le hall des départs c'est où ? – **4.** J'ai un billet pour le train pour Bruxelles de 18 h. Je voudrais partir avant. – **5.** À quelle heure ouvre le bureau de change ?

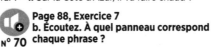

Leçon 1

Page 91, Séquence 13 –
Un cadeau pour Greg
N° 71

Mᵐᵉ Dumas : Ah, cet ordinateur... Cet ordinateur... Ça ne marche pas !
Bertrand : Bah, tu cliques là. C'est aussi simple que ça !
Mᵐᵉ Dumas : D'accord... Merci Bertrand.
Mélanie : Qu'est-ce que tu cherches Mamie ?
Mᵐᵉ Dumas : Un cadeau... Pour l'anniversaire de Greg. C'est le 18, tu sais.
Mélanie : Tu as une idée ?
Mᵐᵉ Dumas : Regarde ces baskets rouges.

Regarde... Elles sont sympas, non ?
Mélanie : Elles sont pas mal.
Mᵐᵉ Dumas : Ou alors... cette casquette !
Mélanie : C'est plus original... Et puis, Greg aime bien les casquettes !
Mᵐᵉ Dumas : Tu as pensé à un cadeau, toi ?
Mélanie : Oui, un radio-réveil.
Bertrand : Ah oui, c'est plus utile qu'une casquette !
Mélanie : Surtout pour Greg !
Mᵐᵉ Dumas : C'est vrai !
Mélanie : J'ai trouvé deux radios-réveils sympas... Ce modèle...
Mᵐᵉ Dumas : Ah, oui... Il est amusant !
Mélanie : Il y a aussi cet autre modèle.
Mᵐᵉ Dumas : Il est moins grand que l'autre... et aussi original.
Bertrand : Vous avez vu le prix ?
Mélanie : J'ai vu. C'est trop cher pour moi.
Bertrand : Et sur les autres sites ?
Mélanie : Il est au même prix.
Bertrand : Alors vous n'avez pas le choix.
Mélanie : Je vais prendre le premier.
Mᵐᵉ Dumas : Greg va être surpris.
Mélanie : J'imagine sa tête !

Page 91, Phonétique
Répondez comme dans l'exemple.
N° 72

Des amis différents
a. Utilisez *le plus...*
– Pierre est amusant ? – Oui, c'est le plus amusant.
– Marie est intelligente ? – Oui, c'est la plus intelligente.
– Sarah est aimable ? – Oui, c'est la plus aimable.
– Sébastien est original ? – Oui, c'est le plus original.

Page 91, Phonétique
b. Utilisez « le moins... »
N° 73

– Hugo est intéressant ? – Non, c'est le moins intéressant.
– Sabine est à l'aise dans le groupe ? – Non, c'est la moins à l'aise.
– Julien est en forme ? – Non, c'est le moins en forme.
– Noémie est amusante ? – Non, c'est la moins amusante.

Leçon 2

Page 93, Exercice 8
N° 74 Écoutez. Trouvez ci-contre la photo correspondant à la scène. Comparez avec vos productions. Pour chaque scène, complétez le tableau.
1. – Voila, une baguette, ça fait un euro.
– J'ai juste un billet de 50 !
– Oh, là, là, vous me posez un problème !
– Désolée, je n'ai pas de monnaie.
2. – Voici votre addition, madame.
– Merci... Excusez-moi mais vous avez compté un café. Je n'ai pas pris de café.
– Oh, excusez-moi ! Alors, ça fait 15 euros 50... Par carte ?
– Oui.
– Voilà... Faites votre code, s'il vous plaît.
3. – Il fait combien, le tableau ?
– 80 €.
– C'est un peu cher, non ?
– C'est un beau tableau... Bon, 60 € ?
– D'accord. Je fais un chèque ?
– Comme vous voulez.

Leçon 3

Page 94, Séquence 14 –
Comment je m'habille ?
N° 75

Mélanie : Qu'est-ce que tu penses de... ce pantalon... avec ce chemisier ?

Li Na : C'est pour aller où ?
Mélanie : À une soirée.
Li Na : C'est une soirée comment ? Habillée ou décontractée ?
Mélanie : Plutôt habillée.
Li Na : Le chemisier va bien avec le pantalon, mais ce n'est pas assez habillé.
Mélanie : Alors... cette robe ?
Li Na : Ah oui, c'est mieux ! Mais il faut l'essayer. *(Mélanie a mis la robe.)*
Mélanie : Elle n'est pas trop courte ?
Li Na : Non, elle va bien.
Mélanie : Je ne suis pas très à l'aise en robe.
Li Na : Oui mais, une soirée habillée, c'est une soirée habillée ! Il faut mettre des bijoux aussi.
Mélanie : Ça va pas faire trop ?
Li Na : Mais non ! Un petit collier, un bracelet, des boucles d'oreilles, il faut ça. Qu'est-ce que tu as ?
Mélanie : J'ai... ce tour de cou.
Li Na : On porte plutôt des colliers longs. Tiens, essaie ça. C'est parfait ! Et là... ces boucles d'oreilles... avec ce bracelet... Regarde-toi. Tu es magnifique ! Si tu ne trouves pas un mec à cette soirée !

Projet

Page 99, Exercice 6
Écoutez ce petit discours. Répondez aux questions de l'activité 5.
N° 77

La stagiaire : Madame Fontaine... Au nom de tous les stagiaires, je voudrais vous dire merci. Nous sommes tous très contents de ce stage. Vous avez été une animatrice compétente, sympathique, patiente, amusante. J'espère que nous n'avons pas été de trop mauvais stagiaires. En souvenir de ce stage très utile pour nous, voici un petit cadeau !

Page 99, Exercice 9
Écoutez. Ségolène fait un petit discours de remerciement. Répondez.
N° 78

Ségolène : ... S'il vous plaît !... Arnaud et moi, on voudrait juste dire quelques mots... D'abord pour vous remercier d'être venus à notre mariage... Cela a été un moment magnifique pour nous de passer cette belle journée avec vous. Là, vous nous avez fait notre premier cadeau. Et puis, le deuxième cadeau, encore plus beau, c'est votre cadeau collectif. Avec ce cadeau, nous allons pouvoir vivre notre plus beau rêve : 15 jours sur l'île de la Réunion. Alors merci à vous tous !!! On vous embrasse très fort !

Bilan

Page 102, Exercice 4
Elle décrit les vêtements de son amie. Trouvez les erreurs.
N° 79

1. Ophélie porte un pull rouge sur son chemisier blanc. – **2.** Elle est en pantalon. – **3.** Elle ne porte pas de bijou. – **4.** Elle sort avec un manteau gris. – **5.** Elle a une ceinture noire. – **6.** Sur la tête, elle a mis un foulard.

Leçon 1

Page 104, Séquence 15 –
Li Na et Jean-Louis font connaissance
N° 80

Jean-Louis : Alors Li Na ? Ça se passe bien chez nous ?
Li Na : Très bien.
Jean-Louis : Le travail n'est pas trop difficile ?
Li Na : Je le trouve intéressant.
Jean-Louis : Et les collègues ?
Li Na : Je les aime bien. Et ils m'aiment bien aussi, je crois.
Jean-Louis : Une coupe de champagne ?

Li Na : Je vous remercie.
Jean-Louis : À votre séjour en France ! Et qu'est-ce que vous faites à Paris, quand vous ne travaillez pas ?
Li Na : Je vais voir des expositions... Je vais à des concerts...
Jean-Louis : Ah ! Vous aimez la musique classique ?
Li Na : Je l'aime bien.
Jean-Louis : Vous connaissez la deuxième symphonie de Brahms ?
Li Na : Non, je ne la connais pas.
Jean-Louis : On la joue samedi à l'opéra Bastille. Je peux avoir des places. Je vous invite ?
Li Na : Euh... samedi ?... Je ne suis pas libre samedi, je vais à un anniversaire. Je suis désolée. *(Ludovic passe à proximité.)* Ludovic ! *(à Jean-Louis)* Je vous présente Ludovic Dubrouck. Il travaille au service informatique. *(à Ludovic)* Monsieur Jean-Louis Patient, le chef du service marketing. Mon chef !
Jean-Louis : Enchanté !
Ludovic : Bonjour monsieur.
Jean-Louis : Alors, vous êtes informaticien ?
Ludovic : Oui... je fais un stage. Comme Li Na.
Li Na : Excusez-moi, je vous laisse. Je dois voir une collègue.

Page 105, Phonétique
a. Le professeur vous pose des questions. Répondez *oui* comme dans l'exemple.
N° 81

– Vous m'écoutez ? – Oui, je vous écoute.
– Vous comprenez l'explication ? – Oui, je la comprends.
– Vous faites les exercices ? – Oui, je les fais.
– Vous cherchez le sens des mots nouveaux ? – Oui, je le cherche.
– Vous apprenez les mots nouveaux ? – Oui, je les apprends.

Page 105, Phonétique
b. Le professeur vous pose des questions. Répondez *non* comme dans l'exemple.
N° 82

– Vous me comprenez ? – Non, je ne vous comprends pas.
– Vous comprenez ce mot ? – Non, je ne le comprends pas.
– Vous comprenez l'explication ? – Non, je ne la comprends pas.
– Vous aimez la grammaire ? – Non, je ne l'aime pas.
– Vous lisez les journaux français ? – Non, je ne les lis pas.
– Vous savez faire l'exercice ? – Non, je ne sais pas le faire.

Leçon 2

Page 107, Phonétique
Écoutez et notez si on parle d'une femme ou d'un homme. Soulignez les marques du féminin.
N° 83

1. J'ai rencontré une étrangère. – **2.** J'ai parlé au médecin. – **3.** J'ai vu la secrétaire. – **4.** Je suis allé chez le boulanger. – **5.** Je veux voir la vendeuse. – **6.** Je connais une bonne architecte. – **7.** J'aime bien cette actrice. – **8.** J'ai parlé à l'étudiante. – **9.** Je connais le nom du directeur. – **10.** Je travaille avec une collègue gentille.

Leçon 3

Page 108, Séquence 16 –
Un artiste connu
N° 84

Greg : Salut !
Mélanie : Salut Greg ! Alors, ton expo à Lyon, comment ça s'est passé ?
Greg : Plutôt bien. J'ai eu un prix !
Mélanie : Tu as eu un prix ?
Greg : Le prix du plus jeune artiste.
Mélanie : C'est super pour toi !
Greg *(Greg sort son téléphone)* **:** Tiens, regarde...

Là, c'est Jeff Sigmund. Il me donne le prix.
Mélanie : Tu lui as parlé ?
Greg : Mais bien sûr ! Je le connais.
Mélanie : Tu connais Jeff Sigmund ?
Greg : Bah oui... Qu'est-ce que tu crois ! Je lui parle, il me répond... Je lui montre mon travail.
Mélanie : Ça alors !
Greg : Il est très sympa avec les jeunes artistes. Il leur donne des conseils... Il a bien aimé mon travail.
Mélanie : Tu me montres ?
Greg *(Greg montre une photo sur son téléphone)* **:** Voilà, ça s'appelle *Société de consommation*. Ce sont des projections d'œuf, de yaourt, de sauce tomate, de mayonnaise... Ça te plaît ?
Mélanie : C'est... très coloré. Et ça montre quoi ? Que la société de consommation est belle ou pas belle ?
Greg : C'est comme tu veux !
Mélanie : Et... tu connais d'autres artistes célèbres ? *(Greg lui montre d'autres photos sur son téléphone, Mélanie est admirative)* Non ?!

Page 109, Phonétique
Répondez selon votre expérience.
N° 85

– Vous parlez français au professeur ?
– Oui, je lui parle français. / – Non, je ne lui parle pas français.
– Vous parlez français aux autres étudiants ?
– Oui, je leur parle français. / – Non, je ne leur parle pas français.
– Vous répondez au professeur ?
– Oui, je lui réponds. / – Non, je ne lui réponds pas.
– Le professeur vous montre des films français ?
– Oui, il nous montre des films français. / – Non, il ne nous montre pas de films français.
– Le professeur vous parle anglais ?
– Oui, il nous parle anglais. / – Non, il ne nous parle pas anglais.

Leçon 4

Page 111, Exercice 3
Écoutez ces messages téléphoniques. Complétez le tableau.
N° 86

a. Bonjour, c'est Sylvie ta copine. Écoute, je te remercie beaucoup pour ta recette de coquilles Saint-Jacques. Hier soir, j'ai eu des invités. J'ai fait ta recette. Tout le monde a trouvé ça délicieux. Allez, à bientôt ! Bises
b. Bonjour monsieur et madame Deschamps. C'est Olivier. Je suis désolé, ce matin, j'ai oublié mon parapluie chez vous. Quand est-ce que je peux venir le chercher ? Vous pouvez me rappeler au 06 05 04 83 83... Merci et excusez-moi encore.
c. Coucou Sébastien, c'est ta tante Marie-Laure. J'ai appris ta réussite au concours de médecine. Je te félicite. Je suis contente pour toi et pour tes parents. Je t'embrasse. À bientôt Sébastien !

Projet

Page 113, Exercice 5
Écoutez. L'économiste Esther Duflo va faire une conférence dans une université. Une professeure la présente.
N° 87

Bonsoir... Tout d'abord, merci d'être venus nombreux à cette rencontre. Il faut dire que notre rencontre de ce soir est exceptionnelle. J'ai en effet le plaisir de vous présenter madame Esther Duflo, économiste, professeur au MIT, le célèbre *Massachusetts Institute of Technology* et qui est aussi membre d'un groupe qui conseille le président Barack Obama !
Madame Duflo est née à Paris. Très jeune, elle s'intéresse à la fois à l'histoire et à l'économie et en particulier au problème de la pauvreté dans le monde... Elle fait ses études supérieures à Paris. Puis, elle part faire son doctorat au MIT où elle es aujourd'hui professeur.
Les travaux de madame Duflo sur la réducti

de la pauvreté dans le monde sont connus de tous les économistes... et elle a reçu en 2005, le prix du meilleur économiste de France. C'est de ce sujet, très important, très grave, qu'elle va nous parler.
Voilà, je remercie madame Duflo d'avoir accepté notre invitation et je lui laisse la parole.

Bilan

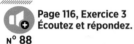

Page 116, Exercice 3
Écoutez et répondez.
N° 88

Vincent : Ah, j'ai une bonne nouvelle ! Ça y est. J'ai trouvé du travail pour cet été.
Clémentine : Génial ! Et tu fais quoi ?
Vincent : Je travaille dans une librairie, juillet et août.
Clémentine : Tu as commencé ?
Vincent : Oui, depuis le 1er juillet.
Clémentine : Et ça te plaît ?
Vincent : Ça va. C'est intéressant. Tu sais, moi, j'aime les livres... Et puis, c'est l'été. Alors il y a beaucoup d'étrangers. Je parle anglais avec eux. C'est cool.
Clémentine : Et les autres employés ?
Vincent : Ben, on est trois : le patron, une vendeuse et moi. Avec le patron, ça va. Il est sympa. Le problème, c'est la vendeuse.
Clémentine : Pourquoi ?
Vincent : Ben, elle ne travaille pas beaucoup. Un jour, elle a mal à la tête... Un autre jour, sa fille est malade... Quand un client entre, elle part à l'autre bout du magasin... Alors, je fais tout le travail.
Clémentine : Et tu es bien payé ?
Vincent : Oui... 1 500... C'est bien, non ?

Unité 8

Leçon 1

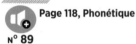

Page 118, Phonétique
N° 89

Répondez comme dans l'exemple.
Tout a changé
– Tu déjeunes au restaurant ou chez toi ?
– Avant, je déjeunais au restaurant. Hier, j'ai déjeuné chez moi.
– Tu manges de la viande ou du poisson ?
– Avant, je mangeais de la viande. Hier, j'ai mangé du poisson.
– Tu écoutes du rock ou de l'électro ?
– Avant, j'écoutais du rock. Hier, j'ai écouté de l'électro.
– Tu regardes France 2 ou France 3 ?
– Avant je regardais France 2. Hier, j'ai regardé France 3.
– Tu joues au basket ou au volley ?
– Avant, je jouais au basket. Hier, j'ai joué au volley.

Page 119, Séquence 17 –
Les souvenirs de madame Dumas
N° 90

(Greg arrive. Il porte un grand tableau. Il fait tomber une petite statue.)
Mme Dumas : Attention Greg !
Greg : Excusez-moi... Elle est un peu abîmée ! Ça a de la valeur ?
Mme Dumas : Sentimentale... Tenez, lisez.
Greg : « Premier prix de danse contemporaine, Lausanne ». Vous avez fait de la danse ?!
Mme Dumas : Quand j'étais jeune... Je me rappelle, ⸺ gagné cette coupe quand j'avais 20 ans. ⸺ais la danse.
⸺ vous avez arrêté ?
⸺ Et oui, quand j'ai rencontré mon ⸺ pour les Nations unies. Alors, j'ai ⸺'ai travaillé comme traductrice ⸺'amour !
⸺ danse ?
⸺ut ! J'ai vu des tas de pays,

j'ai fait des tas de choses...
Greg : Quoi, par exemple ?
Mme Dumas *(Elle prend l'album photos)* : Regardez ! Quand nous étions à New York, je jouais dans une équipe féminine de football.
Greg : C'est vous, là, sur la photo ?
Mme Dumas : Oui ! *(Elle montre une autre photo)* Et là, c'est à Londres, je chantais dans une chorale. On a même fait un disque !
Greg : Danseuse, chanteuse, et quoi encore ?
Mme Dumas : À Dakar, je faisais de la sculpture. Voilà une de mes œuvres !
Greg : Mais alors, vous êtes une artiste, vous aussi !
Mme Dumas : Peut-être, mais... une artiste ratée...

Leçon 2

Page 121, Phonétique
Répondez comme dans l'exemple.
N° 91

– Ce film est excellent. – C'est un film qui est excellent.
– Cette actrice a vingt ans. – C'est une actrice qui a vingt ans.
– Cet acteur a beaucoup joué. – C'est un acteur qui a beaucoup joué.
– Cette histoire amuse le public. – C'est une histoire qui amuse le public.
– Ce personnage est intéressant. – C'est un personnage qui est intéressant.

Leçon 3

Page 122, Séquence 18 –
Mélanie fait du sport
N° 92

Greg : Tu fais du sport ? C'est nouveau !
Mélanie : J'en fais deux fois par jour ! Le matin, jogging et muscu ! Le soir, salle de sport ! ... Tu devrais en faire toi aussi.
Greg : Oh ! C'est trop fatigant... Mais je t'admire !
Mélanie : J'ai trois kilos à perdre avant l'été.
Greg : Arrête de manger des croissants le matin et du chocolat dans la journée !
Mélanie : J'en ai besoin ! Quand je travaille je stresse... Et quand je stresse j'ai faim.
Greg : J'ai acheté de la limonade. Tu en veux ? Quand on fait du sport, il faut boire !
Mélanie : Non merci.
Greg : J'ai aussi acheté des cookies. Tu en veux un ?
Mélanie : Non ! Je n'en veux pas ! Je vais faire du vélo dans la chambre de Mamie. Ciao !

Page 122, Phonétique
Répondez *oui* ou *non* selon votre cas.
N° 93

Chez le médecin
– Vous faites du sport ?
– Oui, j'en fais. / – Non, je n'en fais pas.
– Vous buvez beaucoup d'eau ?
– Oui, j'en bois beaucoup. / – Non, je n'en bois pas beaucoup.
– Vous mangez beaucoup de gâteaux ?
– Oui, j'en mange beaucoup. / – Non, je n'en mange pas beaucoup.
– Vous prenez des médicaments ?
– Oui, j'en prends. / – Non, je n'en prends pas.
– Vous avez beaucoup de travail ?
– Oui, j'en ai beaucoup. / – Non, je n'en ai pas beaucoup.
– Vous avez besoin de repos ?
– Oui, j'en ai besoin. / – Non, je n'en ai pas besoin.

Leçon 4

Page 125, Exercice 5
Écoutez. Un journaliste interroge des touristes sur les spectacles qu'ils ont vus. Complétez le tableau.
N° 95

Le journaliste : Vous avez vu un spectacle intéressant pendant votre séjour ?

Femme 1 : Oui, je suis allée voir le spectacle *Madame Foresti* avec Florence Foresti. J'adore cette humoriste. J'aime comment elle montre le ridicule de notre vie quotidienne. Bon, le début du spectacle est un peu lent, mais après, c'est une suite de petites scènes très amusantes.
Le journaliste : Et vous, qu'est-ce que vous avez vu ?
Homme 1 : Une pièce de Shakespeare : *Henry VI*. C'est un grand spectacle historique : l'histoire du roi d'Angleterre Henry VI au xve siècle. Ce qui m'a plu, c'est le rythme des scènes. Un seul problème : la pièce fait 18 heures. Vous entendez, 18 heures ! Bon, c'est deux soirées. Mais deux soirées de 9 heures, c'est difficile.
Le journaliste : Il y a un spectacle qui vous a plu ?
Femme 2 : Ben... pas vraiment... Je suis allée voir la comédie musicale *Un Américain à Paris*. J'aime beaucoup le film avec Gene Kelly. Mais le spectacle n'est pas assez dynamique. Bon cela dit, la musique est toujours aussi belle. C'est un bon spectacle.
Le journaliste : Et vous ?
Homme 2 : En famille, nous avons vu un spectacle sur glace *Holiday on Ice*. Les décors et les costumes sont magnifiques. Les artistes sont très bons. Je regrette une chose : la qualité du son. Ils mettent de la musique classique très belle mais le son, c'est pas bon du tout.

Projet

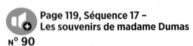

Page 127, Exercice 6
Écoutez. Ils donnent leur avis sur une émission de la sélection. Complétez le tableau.
N° 96

1. J'adore cette émission... Moi, vous savez, je ne peux pas voyager. Je gagne juste 1 200 euros par mois. Alors avec cette émission, chaque semaine, je visite une région de France ou un pays du monde. Et puis, j'apprends des choses sur l'histoire, sur les traditions...
2. Pourquoi ils mettent si tard cette émission ? Moi, à 23 h, je suis couchée. Je travaille tôt le matin. Mais j'adore les débats politiques. Je trouve Anne-Sophie Lapix intelligente, calme, gentille avec les politiques. Et puis, elle est charmante.
3. Mais qui peut être intéressé par ce type d'émission ?! Une mère qui cherche une femme pour son fils ! C'est ridicule ! Quand je vois ça, je suis triste...
4. Je regarde souvent cette émission. Il y a des artistes intéressants, d'autres qui sont ridicules. Quelquefois on s'amuse, quelquefois on apprécie. Mais je trouve que le jury n'est pas toujours très bon.
5. J'attendais beaucoup de cette série. Je me suis ennuyé. J'aime les films à suspense mais là, c'est trop lent...

Bilan

Page 130, Exercice 6
Une journaliste interroge des spectateurs à la sortie du film *Dheepan* de Jacques Audiard. Complétez le tableau.
N° 97

À la sortie d'une séance du film **Dheepan**
1. C'est un très beau film. Les deux acteurs sont formidables. Et on dit qu'ils ne sont pas professionnels, bravo !
2. Il y a des images dures... ces gens qui vivent dans les banlieues... dans des conditions difficiles... Moi je vais au cinéma pour rêver.
3. Ça m'a plu. C'est un film réussi... avec beaucoup d'émotion.
4. Justement, il y a dans le film une très belle histoire d'amour !... et ça finit bien ! Moi, j'ai beaucoup aimé.
5. Bof... encore une vision pessimiste de la société. J'en ai assez. Au cinéma, moi, j'ai envie de rire.
6. Je ne suis pas d'accord avec le monsieur. C'est un film optimiste. Les immigrés, les réfugiés peuvent être heureux en France. C'est ça qu'ils nous disent, les personnages...

Unité 9

Leçon 1

**Page 132, Séquence 19 –
Des projets différents**

N° 98

Ludovic *(à Mélanie)* **:** Alors... À ton poste de lectrice à Berlin !
Li Na : Félicitations !
Greg : Bravo !
Ludovic *(à Greg)* **:** Et toi ? La villa Médicis, à Rome, tu y vas ?
Greg : J'ai envoyé mon dossier... J'attends.
Mélanie : Si tu es à Rome, l'année prochaine, je viens te voir.
Li Na : Moi aussi.
Mélanie : Si tu n'as pas ta bourse, viens à Berlin.
Greg : Berlin ?
Mélanie : Tu sais, Berlin, c'est la ville *hype*. Beaucoup d'artistes s'y installent. En plus, c'est une ville agréable, il y a plein de parcs. Et pour se loger, c'est moins cher qu'à Paris !
(Le portable de Li Na sonne. Elle répond.)
Li Na : Allô ? Oui, c'est moi... Où ça ? À Nanterre ? On n'est pas loin de la Défense, alors ? C'est super ! 70 m², avec 2 chambres... c'est parfait ! Et il est clair ?... Bon, d'accord... Je veux bien le voir. Demain, à 18 h 30... Attendez... *(Li Na se tourne vers Ludovic)* C'est l'agence. Ils ont un appart à Nanterre. On peut le voir demain, à 18 h 30.
Ludovic : On y va !
Li Na *(à son interlocuteur)* **:** D'accord, c'est possible. ... Alors, à demain ! *(elle raccroche)*
Greg : Si j'ai bien compris, vous vous installez ensemble ?
Li Na : Ben oui ! Une colocation c'est plus intéressant.
Ludovic : On a tous les deux un contrat chez Florial.
Li Na : Alors, on cherche une coloc près du boulot. Nanterre, c'est parfait.
Mélanie *(elle lève son verre)* **:** Alors, à votre installation !

Leçon 2

**Page 134, Exercice 2
Une employée de Grenoble Immobilier
présente la maison à un client. Notez
sur le plan les numéros correspondant
aux parties de la maison.**

N° 101

Voilà, nous y sommes... Alors, vous voyez, c'est une maison avec un étage, et l'appartement est sur le rez-de-chaussée et l'étage... Vous avez un joli jardin de 400 m²... Là, à gauche de l'entrée vous avez un garage pour deux voitures... On entre dans la maison... Voilà, vous avez une petite entrée, ouverte sur le salon... Ici, à gauche, c'est l'escalier qui va au 1er étage... et là, à droite, c'est le salon, salle à manger, séjour, comme vous voulez. Vous voyez que c'est un beau salon avec une grande fenêtre sur le jardin. C'est très clair... De l'autre côté, vous avez en face de l'entrée : la cuisine... avec ici, à droite, des toilettes... et à côté une petite chambre ou un bureau.
On monte à l'étage... En haut de l'escalier vous avez, en face de vous, la salle de bain, avec à droite, des toilettes... Et à droite vous avez un couloir... et on arrive aux trois chambres : deux vers l'avant de la maison et une vers l'arrière... Et vous voyez que les deux chambres vers l'avant ont un balcon avec une belle vue sur la montagne.

**Page 135, Exercice 5
Écoutez. Une cliente prend rendez-vous
avec l'agent de Grenoble Immobilier
pour visiter un appartement.**

N° 102

L'agent immobilier : Vous voulez le voir quand cet appartement ? Demain ? Mercredi ?
La cliente : Je préfère mercredi parce que je ne travaille pas.

L'agent immobilier : Le matin ou l'après midi ?
La cliente : Ben... je voudrais venir avec mon mari. Alors, attendez, je regarde son emploi du temps... Oui, c'est ça... le matin il a un cours à l'université de 9 h à 11 h... mais après, il est libre.
L'agent immobilier : C'est pareil pour moi. J'ai une réunion de 9 h à 10 h... après c'est bon. Vous voulez en fin de matinée à 11 h et demie par exemple ?
La cliente : Je suis désolée, c'est pas possible pour moi. J'ai un rendez-vous chez le médecin. C'est à 10 h 30 mais on doit souvent attendre.
L'agent immobilier : Alors l'après-midi... Moi, je suis occupé de 16 h à 17 h par une visite. Mais avant ou après, pas de problème.
La cliente : Ben je préfère avant, parce qu'en fin d'après-midi mon mari a l'habitude de faire du sport. Bon, c'est pas une obligation mais...
L'agent immobilier : À 14 h à l'agence ?
La cliente : Entendu. À 14 h.

Leçon 3

**Page 136, Séquence 20 –
Li Na et Ludovic s'installent**

N° 103

Ludovic : Li Na ? On la met où ta plante verte ?
Li Na : Mets-la ici, à côté de la porte.
Ludovic : Si on la met à côté de la porte, on ne passe plus !
Li Na : Alors mets-la dans le coin, là-bas.
Ludovic : Greg, j'ai besoin d'aide !
Greg : Pour quoi faire ?
Ludovic : Aide-moi à porter la plante verte.
Greg : On la met où ?
Ludovic : Dans le coin, là-bas.
Li Na *(qui change d'idée)* **:** Attendez ! Ne la mettez pas dans le coin.
Greg : Il faut savoir !
Li Na : Là-bas, c'est trop sombre. Il lui faut de la lumière.
Ludovic : Alors, qu'est-ce qu'on fait ?
Li Na : Poussez-la à côté de la fenêtre.
Ludovic : Tu en es sûre ?
Li Na : Oui.
Mélanie *(elle appelle d'une autre pièce)* **:** J'ai un problème ! La lampe ne marche pas.
Ludovic : Tu as des ampoules neuves sur la table basse.
Mélanie : Oui, je les vois.
Ludovic *(à Li Na)* **:** Alors... À côté de la fenêtre, c'est ton dernier mot ?
Li Na : Oui, c'est mon dernier mot, Ludovic !
Mélanie : Attention, lumière !
(L'appartement est plongé dans le noir)
Greg : Qu'est-ce qui se passe ?
Li Na : Ludo, tu sais où est le compteur électrique ?
Ludovic : Oui, j'y vais.
(crépitements électriques)
Li Na : Ludo ? Ludo ?!

**Page 137, Phonétique
Répondez comme dans les exemples.**

N° 104

Conseils de santé

– Je peux faire du sport ? – Fais-en !
– Je peux faire de la boxe ? – N'en fais pas !
– Je peux manger de la salade ? – Manges-en !
– Je peux manger des gâteaux ? – N'en mange pas !
– Je peux boire de l'eau ? – Bois-en !
– Je peux boire du whisky ? – N'en bois pas !
– Je peux prendre du riz ? – Prends-en !
– Je peux prendre du saucisson ? – N'en prends pas !

Projet

**Page 141, Exercice 6
Écoutez. Augustin s'installe. Il décrit
son futur salon. Reportez les indications
sur le dessin.**

N° 107

Blandine : Alors ici, c'est ton salon ?
Augustin : Oui, mon salon salle à manger.

Blandine : Comment tu vas l'aménager ?
Augustin : En face, tu vois, il y a une belle cheminée. Je vais l'utiliser. Donc, devant la cheminée, je mets mon canapé rouge et mes deux fauteuils noirs.
Blandine : Tu ne mets pas une petite table ?
Augustin : Si, entre la cheminée et le canapé.
Blandine : Et ta grande télé ?
Augustin : Je la mets à gauche de la cheminée. Puis, sur le mur à gauche, je mets ma bibliothèque.
Blandine : Et le coin salle à manger ?
Augustin : Là, à droite, après la porte, le long du mur, je place mon buffet et, devant, une table ronde et des chaises.
Blandine : Tu vas peindre les murs ?
Augustin : Oui, le mur de la cheminée en gris et les autres murs en blanc... Puis, sur le mur, à droite, je mets mon tableau de Venise et sur la cheminée, mon grand miroir.

Bilan

**Page 144, Exercice 5
Écoutez. Un agent immobilier donne
des informations sur ces photos de
logements.**

N° 108

L'étudiante : Bonjour !
L'agent immobilier : Bonjour... Vous cherchez... ?
L'étudiante : Voilà, cette année je suis inscrite à l'école d'infirmière et je cherche un petit logement, un studio, par exemple...
L'agent immobilier : Asseyez-vous. Je vais voir ce que nous avons... Alors... Oui, nous avons un studio mais il est assez petit. Il fait 20 m². Il est en plein centre-ville, juste à côté de la cathédrale et il est très clair. Tenez, regardez la photo.
L'étudiante : Oui, c'est vrai, il est clair. Il est joli, mais bon, le centre-ville, c'est pas pratique pour moi. J'ai une voiture.
L'agent immobilier : Oui et en plus, près de la cathédrale, c'est très difficile de se garer...
L'étudiante : Et il fait combien ?
L'agent immobilier : 500 €.
L'étudiante : Beaucoup trop cher pour moi !
L'agent immobilier : Alors, j'ai un autre studio, moins cher, à 400 €, dans un immeuble, quartier de la gare... Regardez, c'est un immeuble neuf avec parking.
L'étudiante : Il est grand ?
L'agent immobilier : Plus grand que l'autre, 32 m².
L'étudiante : Oui... Le problème, c'est que je n'aime pas trop le quartier de la gare...
L'agent immobilier : Et que pensez-vous de ça ? Regardez cette maison. Elle est près de l'école d'infirmière.
L'étudiante : Mais je ne veux pas une maison !
L'agent immobilier : C'est la propriétaire, une dame de 70 ans qui loue les deux pièces sous les toits pour 350 €. C'est calme, c'est grand. Les deux pièces font 40 m² en tout. Vous pouvez vous garer et... la propriétaire est très gentille.
L'étudiante : Ça, ça m'intéresse. Je pourrais visiter ?
L'agent immobilier : Bien sûr ! J'appelle la propriétaire et vous allez voir avec elle...

LE MONDE DE LA FRANCOPHONIE

Pays où le français est la langue maternelle

Pays où le français est important

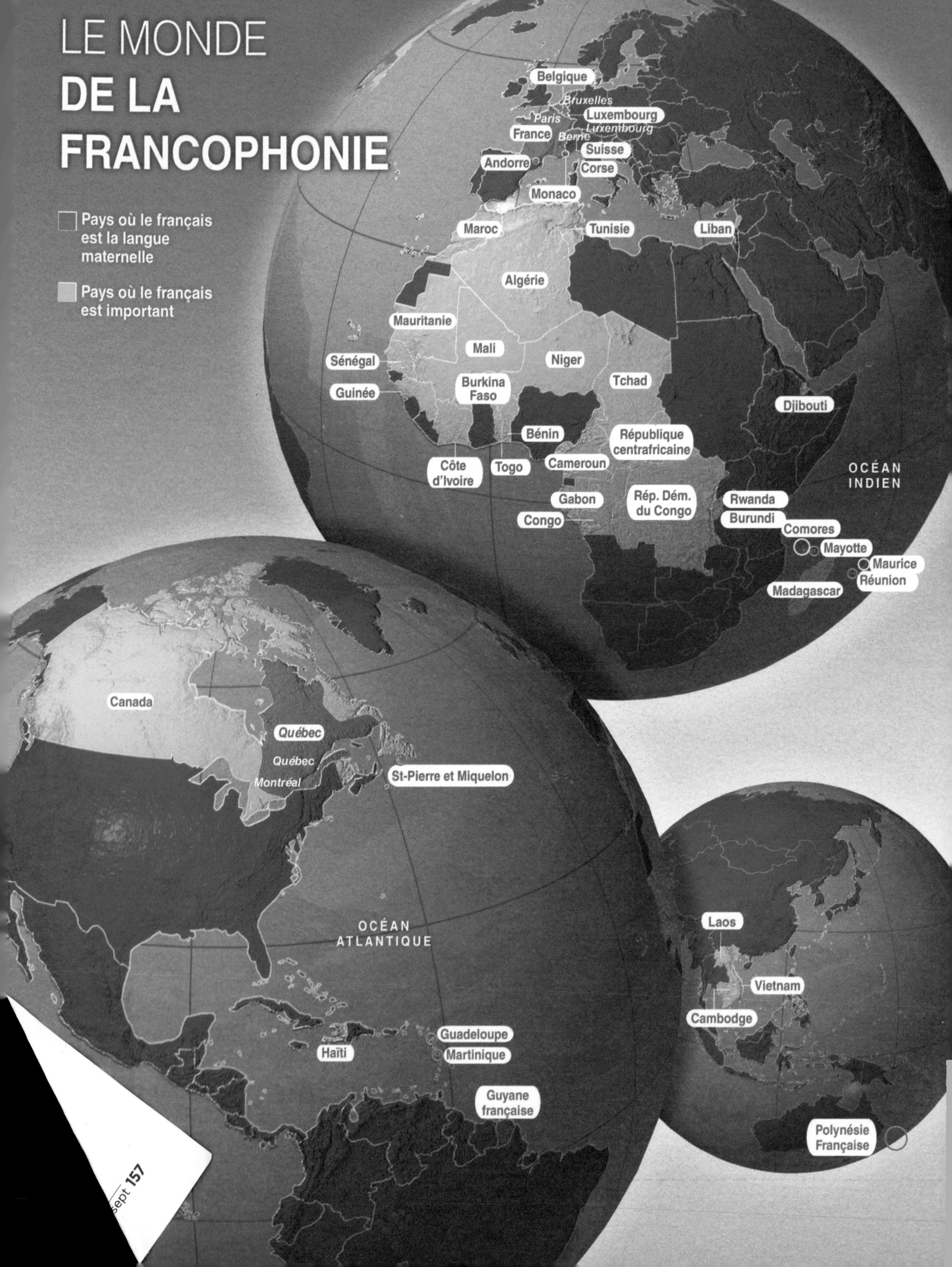

Belgique
Bruxelles
Paris
France
Berne
Andorre
Monaco
Luxembourg
Luxembourg
Suisse
Corse

Maroc
Tunisie
Liban

Algérie

Mauritanie

Mali
Niger

Sénégal
Burkina Faso
Tchad

Guinée

Djibouti

Bénin
République centrafricaine

Côte d'Ivoire
Togo
Cameroun

OCÉAN INDIEN

Gabon
Rép. Dém. du Congo
Rwanda
Burundi

Congo
Comores
Mayotte
Maurice
Réunion

Madagascar

Canada

Québec
Québec
Montréal
St-Pierre et Miquelon

OCÉAN ATLANTIQUE

Laos

Vietnam

Cambodge

Haïti
Guadeloupe
Martinique

Guyane française

Polynésie Française

La France physique et touristique

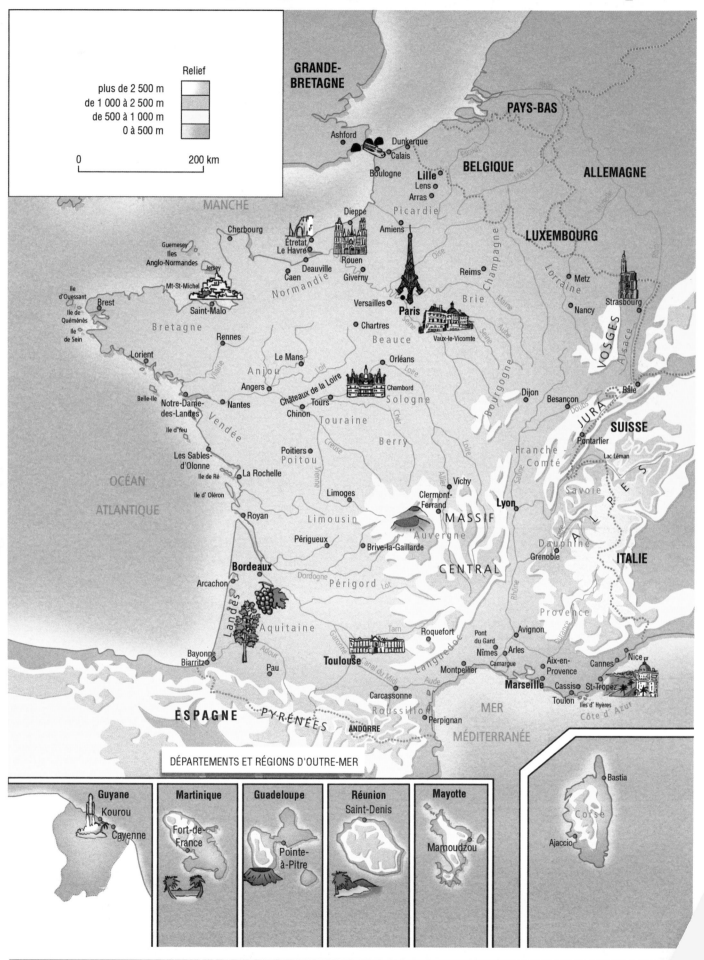

Relief

plus de 2 500 m
de 1 000 à 2 500 m
de 500 à 1 000 m
0 à 500 m

0   200 km

GRANDE-BRETAGNE

PAYS-BAS

BELGIQUE

ALLEMAGNE

LUXEMBOURG

Ashford
Dunkerque
Calais
Boulogne
Lille
Lens
Arras

MANCHE

Dieppe
Picardie
Amiens

Champagne

Reims
Metz
Nancy
Strasbourg

Lorraine

VOSGES
Alsace

Cherbourg
Étretat
Le Havre
Rouen
Deauville
Caen
Giverny

Guernsey
Iles
Anglo-Normandes
Jersey

Mt-St-Michel

Île
d'Ouessant
Brest
Île de
Quéménès
Île
de Sein

Saint-Malo

Bretagne

Versailles
Paris
Chartres

Brie

Seine
Mayne
Aube

Vaux-le-Vicomte

Bâle
Dijon
Besançon
Doubs
JURA
SUISSE
Pontarlier
Lac Léman

Rennes

Le Mans
Anjou
Angers
Châteaux de la Loire
Tours
Chinon
Touraine

Orléans
Chambord
Sologne

Loire

Bourgogne

Franche-Comté

Savoie

Lorient

Belle-Île
Notre-Dame-des-Landes
Nantes
Île d'Yeu

Vendée

Poitiers
Poitou

Creuse

Berry

Loire

Vienne

Vichy
Clermont-Ferrand
Lyon

ALPES

ITALIE

Les Sables-d'Olonne
Île de Ré
La Rochelle
Île d' Oléron

Limoges

Limousin

MASSIF
Auvergne
Dauphiné
Grenoble

OCÉAN
ATLANTIQUE

Royan
Périgueux
Brive-la-Gaillarde

CENTRAL

Bordeaux
Arcachon

Dordogne
Périgord
Lot

Rhône

Provence

Landes
Aquitaine

Garonne
Tarn

Toulouse

Canal du Midi

Roquefort
Pont du Gard
Avignon
Nîmes
Arles
Camargue
Aix-en-Provence
Cannes
Nice

Bayonne
Biarritz
Pau

Montpellier
Languedoc
Aude

Marseille
Cassis
St-Tropez
Toulon
Iles d' Hyères
Côte d' Azur

ESPAGNE
PYRÉNÉES
ANDORRE

Roussillon
Perpignan

MER
MÉDITERRANÉE

DÉPARTEMENTS ET RÉGIONS D'OUTRE-MER

Guyane
Kourou
Cayenne

Martinique
Fort-de-France

Guadeloupe
Pointe-à-Pitre

Réunion
Saint-Denis

Mayotte
Mamoudzou

Bastia
Corse
Ajaccio

Visite de Paris

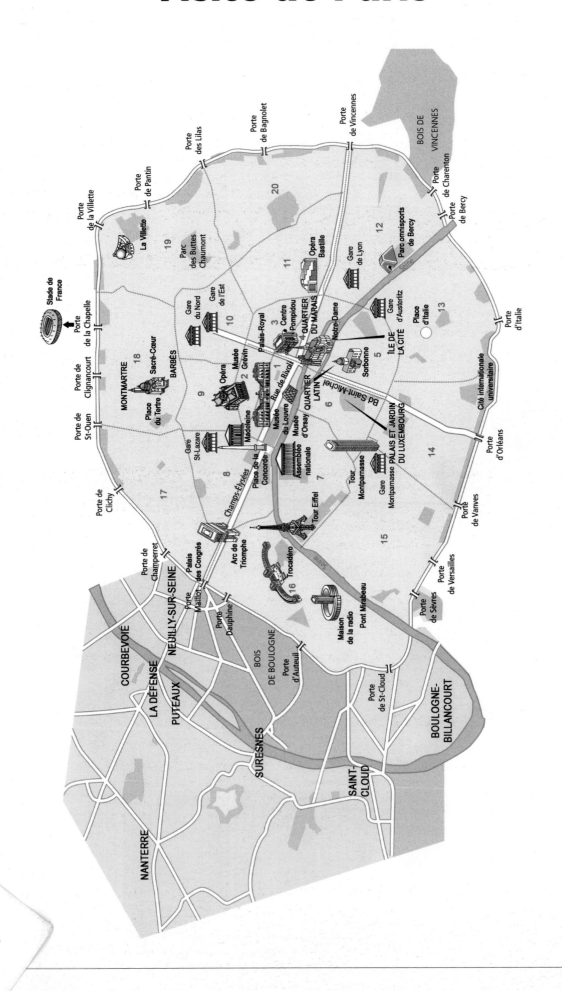